MA

In

D0656674

Marie Gray

In flagranti

Erotische Geschichten

Deutsch
von Bärbel Arnold

GOLDMANN

Die Originalausgabe erschien 2001 unter dem Titel
»More Stories to Make You Blush. Seven Naughty Tales«
bei Guy Saint-Jean Éditeur, Laval (Québec).

Umwelthinweis:
Alle bedruckten Materialien dieses Taschenbuches
sind chlorfrei und umweltschonend.

1. Auflage
Deutsche Erstveröffentlichung Januar 2004
Copyright © der Originalausgabe 2001
by Marie Gray
Copyright © der deutschsprachigen Ausgabe 2003
by Wilhelm Goldmann Verlag, München,
in der Verlagsgruppe Random House GmbH
Umschlaggestaltung: Design Team München
Umschlagfoto: Zefa/Hemmings
Satz: DTP Service Apel, Hannover
Druck: GGP Media, Pößneck
Verlagsnummer: 45635
Redaktion: Kristina Lake-Zapp
JE · Herstellung: Max Widmaier
Made in Germany
ISBN 3-442-45635-5
www.goldmann-verlag.de

Inhalt

In flagranti 7

Lieber Julian 31

Brigittes Geheimnis 55

Wenn unsere
Freunde uns im Stich lassen 81

In guter Absicht 109

Aus Satin und Spitze 135

Doppelt oder gar nicht 161

In flagranti

Ich erinnere mich sehr gut an jenen Morgen, es war Mittwoch, der zwölfte Oktober. Eigentlich hätte ich an diesem Morgen im Bett bleiben sollen. Als der Wecker klingelte und mich aus dem Tiefschlaf riss, war meine Frau noch im Reich der Träume. Ihr Flanellnachthemd war bis zum Hals zugeknöpft, auf ihrem Gesicht glänzte eine dicke Schicht »verjüngender« Nachtcreme. Ich erinnere mich vage, dass ich geträumt hatte, bevor mich der Wecker mit einem Höllenlärm aus dem Schlaf bimmelte. Ich hatte geträumt, dass meine anmutige Gemahlin unter die Bettdecke geschlüpft war und kräftig an mir lutschte, was sie schon seit etlichen Jahren nicht mehr getan hatte. Ich liebe sie von Herzen, aber wenn man in die Jahre kommt, scheinen Liebesbeziehungen mehr und mehr platonisch zu werden ...

Aber zurück zum Morgen des zwölften Oktober. Ich quälte mich seit etwa einer Woche mit einer üblen Erkältung. Der Tag sah ziemlich grau aus, obwohl es noch zu dunkel war, um es mit Gewissheit sagen zu können. Eine leise Stimme in meinem Kopf redete mir eindringlich zu: »Bleib im Bett! Schone dich! Wenigstens dieses eine Mal! Wann bist du je krank gewesen?« Ich war wirklich in Versuchung. Es stimmt nämlich, ich hatte eigentlich nie gefehlt oder gar blau gemacht. Wie herrlich wäre es, den verfluchten Wecker einfach abzustellen und den ganzen Vormittag im gemütlichen Ehebett vor sich hin zu dösen. Doch die Pflicht rief. Ich mag meine Arbeit. Ich bin Kaufhausdetektiv in der Fashion Gallery, und nach den vielen Dienstjahren, die ich bereits auf dem Buckel habe, darf ich meine Arbeit bequem im Sitzen verrichten. Ich überwache die Monitore, die in den verschiedenen Abteilungen des Hauses aufgebaut sind und auf denen zu sehen ist, was überall passiert.

Doch ich habe meinen Job – einen Job, der vom Himmel gefallen sein muss! – nicht etwa wegen meines netten Gesichts bekommen. Ich kann den ganzen Tag bequem auf meinem Stuhl sitzen und muss keine lästigen Rundgänge durch unser Kaufhaus machen. Eine Waffe muss ich auch nicht tragen – ich hasse Waffen! –, denn ich sitze ja abseits und in Sicherheit. Nicht, dass häufig etwas passierte. In meiner gesamten Berufslaufbahn habe ich nur zwei bewaffnete Überfälle erlebt. Das ist doch nicht schlecht für beinahe vierzig Dienstjahre! Trotzdem ziehe ich die Sicherheit meines zurückgezogenen Postens vor, vor allem in meinem Alter. Ich habe keine Lust mehr, Diebe oder herumlungernde Teenager zu verfolgen. Und seien wir mal ehrlich: Warum sollte man den lieben langen Tag auf den Beinen verbringen, wenn man seinen Job auch im Sitzen erledigen kann!

Als das Management der Fashion Gallery das neue Sicherheitssystem installierte, wurde lange hin und her überlegt, wer mit der Überwachung der Monitore betraut werden sollte. Nicht, dass eine Unmenge Kameras montiert worden wären – achtzehn sind nicht wirklich viel. Das Heikle an der Sache waren die Kameras in den Umkleidekabinen. In der Hoffnung, den ganzen Tag Frauen beim An- und Ausziehen zusehen zu können, hatten sich jede Menge Wächter für den Job interessiert. Aber diese Kollegen haben kein Verständnis für ihre Arbeit! Ich bin absolut stolz auf das, was ich leiste. Und wenn das Management mich mit der Aufgabe betraute, dann, weil ich ein Profi bin und nicht mehr Zeit als unbedingt nötig mit der Überwachung der Umkleiden verbringe. Natürlich bin ich auch kein Kostverächter, aber es wäre doch wirklich eine Schande, wenn eine Frau beim Shoppen ständig daran denken müsste, wer ihr wohl beim Anprobieren neuer Sachen zusehen könnte! Also musste derjenige, der das neue System überwachen sollte, verschwiegen sein wie ein Grab, denn es durfte auf keinen Fall an die Öffentlichkeit dringen, dass in der Fashion Gallery sogar in den Umkleidekabinen Überwachungskameras installiert waren! Wäre das publik geworden, hätte es einen Riesenskandal gegeben. Alle möglichen Organisationen hätten sich eingemischt, und das wäre das Ende gewesen – keine Kameras mehr in den Umkleiden. Dabei finden die meisten Ladendiebstähle bevorzugt in diesen kleinen Kabinen statt.

Jedenfalls betraute man mich schließlich mit dem Job – dank meiner Erfahrung und Diskretion und dank meiner Professionalität. Ich habe auch schon so manche Frau beim Klauen erwischt! Sicher, es wäre verlockend, den ganzen Tag die Umkleidekabinen zu beobachten … Die meisten Damen, die in der Fashion Gallery einkaufen, sind wohl betucht, hübsch und elegant. Aber für so einen Unfug bin ich inzwischen zu alt, und ich will nur hoffen, dass unsere Konkurrenz ihre Angestellten ebenfalls sorgfältig auswählt, wenn es um die Besetzung ähnlich heikler Posten geht.

An jenem Morgen war es jedenfalls der Ruf der Pflicht, der mich antrieb und dafür sorgte, dass ich nicht auf meine innere Stimme hörte. Ich quälte mich aus dem Bett, bedachte meine immer noch selig schlummernde bessere Hälfte mit einem neidischen Blick und schleppte mich zur Dusche. Eigentlich dachte ich, ich hätte meinen Traum schon vergessen, doch als ich unter dem Wasserstrahl meinen steil aufgerichteten Schwanz erblickte, kam er mir plötzlich wieder in den Sinn.

Ich stellte mir vor, wie meine süße Margaret ihn liebevoll mit dem Mund umschloss und ihn mit großem Appetit vernaschte, so wie sie es früher oft getan hatte, als sie noch nackt und ohne Gesichtscreme geschlafen hatte … Gedankenverloren seifte ich meinen Ständer ein und ließ meine Hand rauf- und runtergleiten. Mein Herz schlug immer schneller. Wie lange mochte es her sein, dass ich meine träge alte Rute so massiert hatte? Ich war angenehm überrascht, wie erregt ich plötzlich war, und überlegte kurz, ob ich Margaret wecken und mein Vergnügen mit ihr teilen sollte. Doch ich verwarf den Gedanken schnell wieder; sie wäre nie und nimmer so liebeshungrig gewesen wie mein hart geschwollenes Gemächt. Ich kam und erbebte innerlich. Dann wusch ich mich schnell und ging zur Arbeit.

Der Morgen schleppte sich zunächst ziemlich ereignislos dahin. Es passierte absolut nichts, das die Eintönigkeit durchbrach – bis die Frau hereinkam, die meine trägen Triebe schlagartig erweckte und mein Leben auf den Kopf stellte.

Sie fiel mir schon auf dem Monitor am Haupteingang auf, als sie das Kaufhaus betrat. Sie war eine klassische Schönheit, etwa fünfundzwanzig Jahre alt, blond und gepflegt. Ich sehe jeden Tag schöne Frauen unser Kaufhaus betreten, aber diese haute einen wirklich um. Sie schien in Eile zu sein, wie viele Kunden, die in ihrer Mittagspause nach irgendeinem bestimmten Artikel suchen. Schnurstracks steuerte sie die Abteilung für Damenunterwäsche an. Ich nahm ihren Körper ins Visier und ließ sie nicht mehr aus den Augen. Trotz ihrer hochhackigen Schuhe und ihres engen, figurbetonten Kostüms bewegte sie sich sehr anmutig. Ihr Haar war perfekt frisiert, nicht eine Strähne lag falsch, und ich war sicher, dass sie eins von diesen verführerischen, teuren Parfums aufgetragen hatte, vielleicht Shalimar oder Opium. In der Dessous-Abteilung angekommen, streifte sie mit einer so sinnlichen und bedächtigen Bewegung ihre Handschuhe ab, dass ich aus irgendeinem unerklärlichen Grund einen Ständer bekam. Sie wirkte unglaublich selbstsicher. Vermutlich, sinnierte ich, gehört sie zu den schwierigen Kundentypen, die Topqualität und absolut einwandfreien Service verlangen. Zum Glück verstand die junge Verkäuferin etwas von ihrem Fach. Sie stellte eine Kollektion verschiedener Modelle zusammen und führte die hübsche Kundin zu den Umkleidekabinen. Ich holte tief Luft. Die Chance meines Lebens war gekommen, doch ich ermahnte mich, meinen privilegierten Platz vor den Monitoren auf keinen Fall zu missbrauchen und auszunutzen … Aber es war eine schier übermenschliche Kraftanstrengung, der Versuchung zu widerstehen. Ich verstand die Welt nicht mehr. Warum zog diese unbekannte Frau mich plötzlich so unwiderstehlich an? Normalerweise bin ich sehr darauf bedacht, die Intimsphäre unserer Kundinnen zu respektieren, aber bei dieser Frau war alles anders. Ich war absolut unfähig, sowohl psychisch als auch physisch, meine Augen von den Überwachungsmonitoren der Umkleidekabinen abzuwenden. Stattdessen rätselte ich angestrengt, welche Kabine man ihr wohl zuweisen würde. Die Verkäuferin führte sie zu Kabine Nummer drei, und die hübsche Unbekannte ging hinein. Ich setzte mir eine Grenze von einer Minute, kaum genug also, sie einmal richtig in Augenschein zu nehmen. Danach, so schwor ich mir, würde ich mich umgehend wieder meinen anderen Pflichten zuwenden …

Bevor ich weitererzähle, sollte ich noch erwähnen, dass ich meiner Frau immer treu gewesen bin, und zwar in Gedanken, Worten und Taten. Im vergangenen Monat haben wir unseren fünfunddreißigsten Hochzeitstag gefeiert. Ich war sehr bewegt und glücklich und stolz, dass ich so viele Jahre in stiller Eintracht und ohne irgendwelche größeren Dramen an ihrer Seite zugebracht hatte, und ich hoffte, auch den Rest meines

Lebens auf diese Weise mit ihr zu verbringen. Das hoffe ich übrigens immer noch! Der Anblick einer jungen Frau in einem zu kurzen Rock mag mich vielleicht anrühren, aber das heißt nicht, dass ich meine Frau nicht liebe … selbst, wenn ich mir gelegentlich auszumalen versuche, was sich wohl unter dem Röckchen verbergen mag. So etwas passiert nun mal! Ich glaube, Margaret liebt mich auch immer noch. Wenn nicht, wäre sie nicht so lieb und rücksichtsvoll. Unsere Kinder sind schon seit Jahren aus dem Haus, und meine Frau und ich genießen unsere Zweisamkeit. Abends sitzen wir ruhig vor dem Fernseher und trinken ein paar Gläser Bier. Das zeigt doch, wie wohl wir uns miteinander fühlen. Wir führen ein bescheidenes, aber behagliches Dasein. Allerdings achtet Margaret schon seit geraumer Zeit nicht mehr auf ihr Gewicht, und leider trägt sie fast nie so hübsche Sachen wie die Frau, die soeben unser Kaufhaus betreten hatte …

Die Kameras in den Umkleidekabinen sind hinter den Spiegeln versteckt. Ich konnte ihr wunderschönes Gesicht jetzt deutlicher erkennen. Ihr sorgfältig aufgetragenes Make-up betonte ihre hellen Augen, deren Farbe ich leider nicht erkennen konnte. Auf den verdammten Bildschirmen erscheint alles in grau, das allerdings in hundert verschiedenen Schattierungen! Aber sie war eine umwerfende Schönheit, daran bestand kein Zweifel. Sie hängte ihre Handtasche an einen der Haken und knöpfte mit ihren langen Fingern den Blazer ihres Kostüms auf. Ich ermahnte mich, dass es jetzt reichte. Ich wollte nicht zusehen, wie sie ihre Bluse, ihren Rock und den Rest auszog. Doch sie trug unter ihrem Blazer nichts außer einem BH. Sie hatte ein Tuch so raffiniert um ihren Körper geschlungen, dass es ausgesehen hatte wie eine Bluse. Ich konnte nicht mehr zurück! Ich konnte meine Augen einfach nicht mehr von ihr abwenden. Ich war vollkommen in den Bann gezogen. Ihr prachtvoller Büstenhalter war aus reiner

Spitze, und als sie ihren Rock auszog, sah ich, dass sie einen dazu passenden Slip trug. Der Rock glitt zu Boden, und sie hob ihn langsam auf und hängte ihn an einen der Haken, damit er nicht verknitterte. Warum musste sie auch noch diese aufregenden Strümpfe tragen, die wie durch Zauberhand auf den Oberschenkeln sitzen bleiben und nicht rutschen? Sie waren hell und aus Seide und umschmeichelten ihre schlanken Beine und ihre weiße Haut. Mit geübtem Griff streifte sie sich den BH ab, schlüpfte aus ihrem Slip und nahm die Garnitur, die sie anprobieren wollte, vom Bügel. Mir ging durch den Kopf, dass sie ihr Höschen eigentlich hätte anbehalten müssen – das sollen alle Kunden, die Unterwäsche anprobieren –, doch der Gedanke war schnell wieder vergessen. Sie hatte einen zauberhaften Körper: große feste Brüste, eine schmale Taille, runde Hüften, einen flachen Bauch … Ihr Haar war naturblond, das erkannte ich an dem hellen Flaum zwischen ihren Beinen. Sie drehte sich jetzt um, und ich bewunderte ihre runden Pobacken, ihren schmalen, anmutigen Rücken und die schlanken Hände, mit denen sie den Verschluss des neuen Büstenhalters einhakte und das neue Höschen über ihre knackigen Beine streifte. Die Garnitur passte wie angegossen, die junge Verkäuferin hatte die Kundin hervorragend beraten. Die Spitze war so fein, dass ihre Nippel und der kleine Schatten über ihrer Muschi durchschimmerten. Sie begutachtete sich mit prüfendem Blick und drehte sich vor dem Spiegel, um sich aus verschiedenen Blickwinkeln zu betrachten; offenbar fragte sie sich, ob dies wirklich die Sachen waren, die sie haben wollte. Nach ein paar Sekunden erhellte sich ihr Gesicht, und sie strahlte wie ein Engel. Was sie anhatte, gefiel ihr, sie hatte sich zum Kauf entschlossen. Ich hoffte insgeheim, dass sie auch noch die anderen Garnituren anprobieren würde, die sie mit in die Kabine genommen hatte, doch den Gefallen tat sie mir nicht. Sie war mit ihrer ersten Wahl voll und ganz zufrieden und begann, sich wieder an-zuziehen. Sie schlüpfte aus ihrer neuen Garnitur, und bevor sie erneut ihr elegantes Kostüm anzog, ließ sie mich noch einmal ihren makellosen nackten Körper bewundern. Dann verließ sie die Umkleide und ging zur Kasse. Während sie auf ihr kleines Päckchen wartete, huschte ein zufriedenes Lächeln über ihr Gesicht, das sich auch nicht verflüchtigte, als sie durch den Laden Richtung Tür schritt. Mein Herz machte einen Satz, als sie sich plötzlich kurz vor dem Ausgang umdrehte, zurücksah und ihren Kopf direkt zu der Kamera über dem Eingang reckte. Ich errötete wie ein Teenager, den man auf frischer Tat ertappt hat. Irgendwie hatte ich das seltsame Gefühl, sie wusste, dass ich da war, oder sie ahnte, dass ihr bei der Anprobe jemand mit gierigem Blick zugesehen und ihren schönen Körper bewundert hatte. Einen so schönen Körper, dass im Schoß meiner Hose eine deutliche Beule zu sehen war, als ich von meinem Platz aufstand – wie die Ausbuchtung von einer aufgerichteten Mittelstange in einem Zelt.

* * *

Als ich an diesem Abend nach Hause kam und Margaret mich wie seit eh und je mit den Worten »Paul, bist du es? Hattest du einen schönen Tag?« begrüßte, konnte ich nur eine ausweichende Antwort murmeln. Ich lief schnurstracks ins Schlafzimmer, zog mich aus und sprang unter die Dusche, um mich abzukühlen und meine heißen Gedanken loszuwerden. Meine Frau wunderte sich, dass ich noch einmal duschte, doch ich erklärte ihr, wir hätten Probleme mit der Klimaanlage gehabt, und es sei den ganzen Tag über höllisch heiß gewesen. Ich hatte so furchtbare Gewissensbisse, als ich ihr diese Lüge auftischte, dass ich zu ihr ging und sie küsste. Wir waren beide überrascht, wie leidenschaftlich und zärtlich sich das anfühlte. Sie wurde ganz rot vor Verwirrung, trat einen Schritt zurück und fixierte mich mit diesem durchdringenden Blick, der alle Lügen im Nu auffliegen lässt.

»Was ist los mit dir? Komm schon, raus mit der Sprache!« Ich holte tief Luft.

»Na ja«, druckste ich herum, »ich musste den ganzen Tag an dich denken. Es mag mir ja manchmal schwer fallen, meine Gefühle zu zeigen, aber … ich liebe dich. Wie lange habe ich dir das schon nicht mehr gesagt? Das ist alles.«

Sie lachte und nahm mich in den Arm.

Danach bereitete sie mir ein exzellentes Abendessen zu, und während ich zusah, wie sie in der Küche herumwirbelte, spürte ich zu meiner Überraschung, wie ich erneut hart wurde. Ich war verlegen wie ein Schuljunge, und das, obwohl wir schon so lange verheiratet waren! Allerdings war unsere Leidenschaft im Laufe der Jahre ziemlich abgekühlt, und ich glaube, dass keiner von uns eine Idee hatte, wie man die kleine Eisschicht brechen sollte, die zwischen uns gewachsen war. Sollte ich ihr unumwunden zeigen, wie sehr sie mich erregt hatte? Oder sollte ich etwas subtiler vorgehen und versuchen, sie unter irgendeinem Vorwand vorzeitig ins Bett zu locken? Ich konnte mich nicht entscheiden und brütete so lange, bis meine Erektion dahin zurückschrumpfte, woher sie gekommen war. Am Ende verbrachten wir den Abend genauso wie immer: jeder in seinem eigenen Sessel vorm Fernseher.

* * *

Am nächsten Tag – es war Donnerstag, der dreizehnte Oktober – trat sie ein weiteres Mal in Erscheinung: die Frau, die ich bereits »meine« Kundin nannte. Zur gleichen Uhrzeit mit dem gleichen, leicht gehetzten Blick. Sie steuerte schnurstracks die Dessous-Abteilung an und wählte eine der BH-

und Slip-Garnituren aus, die sie am Tag zuvor nicht anprobiert hatte. Diesmal machte ich erst gar keine Anstalten, mich abzuwenden. Ganz kurz meldeten sich wieder diese Gewissensbisse, aber sie vermochten es nicht, mich zurückzuhalten. Ich machte es mir vor dem Bildschirm bequem, der Umkleide Nummer sechs zeigte, und beobachtete die hübsche Unbekannte. Es begann genauso wie am Vortag, doch diesmal trug sie ein Kleid mit Knöpfen, die sie einen nach dem anderen öffnete, um ihren göttlichen Körper zu entblößen. Darunter hatte sie eine reizende schwarze Korsage, die aus Seide zu sein schien, und hinreißende, ebenfalls schwarze Strümpfe. Ihr Körper schien sich im Rhythmus einer nicht hörbaren Musik zu bewegen. Vollkommen fasziniert von ihren fließenden Bewegungen, beobachtete ich ihren sinnlichen kleinen Tanz. Sie fuhr sich mit den Fingern durch die Haare und ließ sie wie in einer intimen Umarmung ihre Schultern umschmeicheln. Dann liebkoste sie durch ihre seidene Wäsche ihre vollen, einladenden Brüste, und ich sah, wie ihre Nippel sich aufrichteten und nach einer zärtlichen Berührung verlangten. Doch anstatt sie zu streicheln, widmete sie sich als Nächstes ihren weichen weißen Schenkeln und massierte sie zärtlich. Dabei tanzte sie weiter, bückte sich und spreizte die Beine. In dem Moment sah ich, dass ihre Möse nur von einem winzigen schmalen Spitzenstreifen bedeckt wurde, an den ihre Finger gefährlich nah herankamen, als ob sie einem unwiderstehlichen Ruf folgten. Plötzlich schien ihr bewusst zu werden, wo sie sich befand. Sie richtete sich ruckartig auf, sah sich verstört um, wie jemand, der jäh aus einem Traum erwacht, und probierte hastig die Garnitur an, die sie mit in die Kabine genommen hatte. Doch sie schien enttäuscht zu sein. Jedenfalls zog sie sich schnell wieder an, verließ die Umkleide und reichte Nicole, der Verkäuferin, den BH und den Slip. Dann eilte sie aus dem Kaufhaus und ließ mich keuchend vor Erregung auf der Kante meines Stuhls zurück. Ich fühlte mich enttäuscht und hatte mehr Herzklopfen, als mir gut tat.

An jenem Abend kam ich Margaret mit der gleichen faulen Ausrede und flüchtete unter die Dusche, wo ich mir genussvoll einen runterholte. Was war nur mit mir los? Warum hatte diese Frau so eine Wirkung auf mich? Ich hatte in den vergangenen zwei Tagen häufiger masturbiert als in den vergangenen zwölf Jahren!

* * *

Am Freitag, dem vierzehnten Oktober, bereitete ich mich bereits auf dem Weg zur Arbeit mental auf den Besuch »meiner« Kundin vor. Es war zwar unwahrscheinlich, dass sie an drei aufeinander folgenden Tagen kommen würde, doch nach der erotischen Darbietung vom Tag zuvor hegte ich doch die leise Hoffnung, dass sie wiederkommen und meine neu entdeckten voyeuristischen Triebe befriedigen würde. Ich ermahnte mich zwar, mich diesmal zusammenzureißen und sie nicht zu beobachten, falls sie tatsächlich noch einmal käme, doch ich wusste, dass ich nie und nimmer widerstehen könnte. Ich hatte die Nacht zuvor von ihr geträumt, war aufgewacht und hatte mich geschämt, als ich neben mir meine liebe Margaret liegen sah, die nichts ahnend den Schlaf der Gerechten schlief. Ich fühlte mich wie ein verlogener Mistkerl, fast so, als ob ich sie betrogen hätte. Einerseits war ich wütend auf mich, aber andererseits versuchte ich mir einzureden, dass ich schließlich nichts Böses getan hatte. Und das hatte ich ja auch nicht … Es waren nur mein Kopf und mein Körper, die auf einmal verrückt spielten.

Als ich sie zur gewohnten Zeit hereinkommen sah, versuchte ich verzweifelt, meine Augen auf die anderen Bildschirme zu richten, doch in Bruchteilen von Sekunden sah ich, wie sie ein helles Negligé von der Stange nahm. Kurz darauf führte Nicole sie zu den Umkleidekabinen. Damit war es um mich geschehen. Meine Augen klebten nur noch an einem Bildschirm, und all meine guten Vorsätze waren in den Wind geschlagen.

Sie war bis auf ihre Strümpfe und Schuhe vollkommen nackt, doch anstatt das Negligé anzuprobieren, nahm sie ihr dickes Haar und steckte es lässig auf dem Kopf fest. Sie betrachtete sich im Spiegel und drehte sich, um sich besser sehen zu können. Dann ließ sie ihre Hände über ihren Hals zu ihren Brüsten hinuntergleiten und liebkoste sanft ihre aufgerichteten Nippel. Sie bückte sich und hob die seidene Korsage auf, die sie vermutlich schon am Tag zuvor getragen hatte. War sie beige oder pink? Ich konnte mir nur ausmalen, wie herrlich weich und geschmeidig sie war und mit der Farbe ihrer Haut harmonierte. Zuerst streifte sie das reizvolle Kleidungsstück über ihre üppigen Brüste, dann schlang sie es um ihre Taille, sodass der feine Stoff ihre runden Pobacken kitzelte.

Plötzlich nahm sie es an einem Ende, führte das andere zwischen ihren Beinen hindurch und begann vor meinen erstaunten Augen, sanft mit ihrem Becken hin- und herzuschwingen. Während sie den seidenen Stoff durch ihre Möse gleiten ließ, beobachtete sie sich aus nächster Nähe im Spiegel. Schließlich drückte sie sich mit dem ganzen Körper dagegen; ihre herrlichen Brüste schienen gegen den Bildschirm zu klatschen. Ich konnte ihren heißen Atem, der die Glasscheibe beschlagen ließ, regelrecht spüren und spürte ihn auch auf meinem Schwanz, der vor Erregung so steif war, dass er schmerzte. Es gelüstete mich, ihn aus meiner Hose zu befreien und ihn schnell und heftig zu melken ... Aber was wäre, wenn jemand hereinkäme? Zu allem Übel streichelte sich die hübsche Unbekannte immer heftiger und immer schneller mit dem edlen Stück Stoff. Ich rieb währenddessen durch den dicken Stoff meiner Hose meinen Schwanz. Ich war es ganz und gar nicht gewohnt, es mir selber zu besorgen – und schon gar nicht bei der Arbeit! –, weshalb ich Schwierigkeiten hatte, mich zu entspannen und mich meiner Lust hinzugeben. War ich nicht derjenige, dem jeder vertraute, derjenige, der die Anonymität und Intimsphäre der Kundinnen garantiert respektierte? Ich fand mein Verhalten unmöglich. Doch dessen ungeachtet nahm mein Ständer monströse Ausmaße an. »Meine« Kundin spreizte jetzt die Beine, legte ihren Finger in die Mitte und begann, sich mit gleichmäßig kreisenden Bewegungen zu streicheln. Schon nach wenigen Minuten schloss sie die Augen, und ihr ganzer Körper krümmte sich vor Entzücken. Meine Hand fuhr zwischen meine Beine, und als ich gerade meinen Reißverschluss öffnen wollte, flog die Bürotür auf. Es war einer meiner Kollegen, der mich fragen wollte, ob ich schon zu Mittag gegessen habe. Rot vor Scham sprang ich auf, um »meine« Kundin vor den Blicken des Eindringlings zu schützen. Ich murmelte, dass ich in zehn Minuten unten sei und er von mir aus warten könne. Meine Latte schrumpfte zu einem unscheinbaren Schlappschwanz zusammen. Das war knapp gewesen!

An diesem Abend versuchte ich, Margaret zu überreden, ganz früh mit mir ins Bett zu gehen. Ich sagte, ich sei müde und hätte Lust, mich anzukuscheln, sie könne ja noch lesen. Sie legte sich mit dem Rücken zu mir neben mich, und ich rutschte auf ihre Seite und schmiegte mich an sie. Innerhalb von Sekunden hatte ich einen knallharten Ständer … Margaret tat so, als würde sie nichts merken. Sie entschuldigte sich, stand auf und ging ins Bad. Zehn Minuten später kam sie mit Lockenwicklern im Haar und der gewohnten furchtbaren Nachtcreme im Gesicht zurück. Sie drückte mir ein Küsschen auf die Stirn, legte sich weit von mir entfernt ins Bett und schlief nach ein paar Minuten ein. Enttäuscht und frustriert verzog ich mich ins Wohnzimmer und sah mir eine idiotische Sitcom an. Stunden später, nachdem ich die halbe Nacht auf dem viel zu harten Sofa dösend vor dem Fernseher verbracht hatte, ging auch ich zu Bett.

* * *

Am Samstag, dem fünfzehnten Oktober, war ich froh, dass ich nur bis ein Uhr arbeiten musste. Ich war müde und übel gelaunt, weil ich so schlecht geschlafen hatte, und hatte nicht die geringste Lust, mit meinen Kollegen herumzualbern. Deshalb machte ich einen Bogen um die Cafeteria und steuerte schnurstracks mein Büro an. Als ich schon dachte, es ungesehen geschafft zu haben, sah ich Nicole mit einem strahlenden Lächeln über den Flur auf mich zulaufen. Ihre Stimme war entsetzlich schrill, und sie war so aufgedreht, dass ich das Schlimmste befürchtete.

»Hallo, Paul! Sind Sie heute mit dem linken Fuß aufgestanden?«

»Nein, mir geht's gut«, erwiderte ich ärgerlich, ohne es so zu meinen.

»He, immer mit der Ruhe! Sie sehen ein bisschen unglücklich aus.«

Dieser Nicole konnte man nichts vormachen …

»Das täuscht. Ich bin nur müde.«

Ich brannte darauf, sie über »meine« Kundin auszufragen. Kannte sie sie? Wie war sie? Was für eine Stimme hatte sie? Würde sie heute kommen? Wie hieß sie? Doch ich riss mich zusammen und flüchtete mit einer Thermoskanne voll starkem schwarzem Kaffee in mein Büro.

Die Stunden vergingen, und ich wartete vergebens auf ihr

Erscheinen. Einerseits war ich zutiefst enttäuscht, andererseits aber auch ein bisschen erleichtert, denn ich war mittlerweile wie besessen von dieser Frau. Ich dachte an sie, als wäre sie meine Geliebte. Ich sehnte mich nach ihr, versuchte, mich mit dem Wenigen zufrieden zu geben, das sie mir zu geben bereit war, und schmachtete nach einem Kuss oder wenigstens einem Lächeln. Es war vollkommen lächerlich, und ich fühlte mich elend. Meine Schicht endete, und sie war nicht gekommen.

Sonntag, der sechzehnte Oktober, war ziemlich mittelmäßig. Ich verbrachte fast den ganzen Tag in einer Art Fieberzustand. Ich konnte an nichts anderes denken als an sie; ich träumte von ihrem göttlichen Körper, ihren Händen, die ihre helle Haut streichelten, und von ihrem seidenen, ihre zarten Schultern umschmeichelnden Haar. Ich vermisste sie und fühlte mich wie ein Abhängiger auf Entzug, nur weil ich sie einen Tag nicht gesehen hatte. Alles, was blieb, war, auf Montag zu warten, ein normalerweise vollkommen ruhiger, beinahe toter Tag. Bestimmt würde sie kommen, mich von der Langeweile erlösen und mir den Tag durch ihr Erscheinen versüßen. Ich spürte es! Warum ich mir so sicher war, weiß ich nicht, aber ich war absolut überzeugt, dass sie kommen würde.

An jenem Sonntagmorgen verließ ich unser Haus, stieg in mein Auto und fuhr zur Fashion Gallery. Eigentlich hatte ich frei, aber die Läden waren alle geöffnet. Wer weiß, vielleicht war sie ja da. Ich wollte mich still neben den Eingang des Kaufhauses setzen, vielleicht einen Happen essen und die rein- und rausgehenden Leute beobachten. Was ich tun wollte, wenn sie aufkreuzte? Sie einfach nur glückselig betrachten und für den Rest des Tages zufrieden sein. Endlich hätte ich dann wenigstens all die vielen Details in Erfahrung gebracht, die mich so brennend interessierten: welche Schattierung ihr blondes Haar und welche Farbe ihre Augen hatten. Und was für ein Parfum sie benutzte. Ich wollte ihr ungesehen folgen und so tun, als ob ich für meine Frau einkaufte. Aber was sollte ich meinen Kollegen und den Verkäuferinnen sagen, denen ich in die Arme laufen würde und die natürlich wussten, dass ich keinen Grund hatte, mich an einem Sonntag im Kaufhaus herumzutreiben …

Am Sonntagnachmittag wartete ich immer noch. Ich aß ein Sandwich und wartete. Ich trank eine Tasse Kaffee nach der anderen und wartete. Um vier Uhr beschloss ich bitter enttäuscht, nach Hause zu fahren. Ich schämte mich und war ein Bild des Jammers. Zufällig musste Margaret an diesem Abend auch noch weg, sodass ich allein zu Hause blieb und Trübsal blies. Ich war vollkommen besessen. Zum ersten Mal seit einer Ewigkeit holte ich die Rumflasche aus dem Schrank und schenkte mir eine ordentliche Portion ein. Ich wollte »meine« Kundin vergessen oder wenigstens dafür sorgen, dass der nächste Tag schneller anbrach … Ich trank mehr, als mir gut tat. Margaret musste mich später wecken, denn ich war auf dem Sofa in einen komatösen Schlaf gefallen. Zum Glück hatte ich noch daran gedacht, meinen Reißverschluss wieder zuzuziehen, bevor der Alkohol mich übermannt hatte. Das Letzte, woran ich mich erinnere, ist, dass ich ungeschickt und mit heruntergelassener Hose umhergetappt war und mich überall besudelt hatte. Beim Masturbieren hatte ich mir vorgestellt, wie sie vor mir kniete und meinen Schwanz in ihren hübschen, weit geöffneten Mund nahm und daran lutschte.

* * *

Am Montag, dem siebzehnten Oktober, stand ich schon im Morgengrauen auf. Ich war viel zu früh fertig, um zur Arbeit zu fahren, was Margaret Verdacht schöpfen ließ.

»Was ist denn heute Morgen mit dir los?«

»Du kennst das doch! Es ist mal wieder jede Menge zu tun. Und dann haben wir heute auch noch eine Besprechung, um festzulegen, wer Weihnachten arbeitet und wann. Ich muss mich schleunigst auf den Weg machen …«

Eine weitere Lüge. Allmählich wurde es zu einer schlechten Angewohnheit, dass ich meiner Frau nicht die Wahrheit sagte. Aber ich war so aufgeregt, dass ich es kaum noch ertragen konnte. Ich wollte so schnell wie möglich zur Arbeit, mich an meinen Platz setzen und auf »meine« Kundin warten. Bis sie kam, konnte es noch Stunden dauern, endlose lange Stunden des Wartens … Montagvormittage waren unerträglich öde und langweilig. Es ist allgemein bekannt, dass an Montagen nichts passiert. Aber mir war alles egal. Ich saß einfach nur da und wartete auf ihren Besuch, wartete darauf, sie von meinem stillen Kämmerlein aus begrüßen zu dürfen und ihre Schönheit zu bewundern, so weit sie dazu bereit war.

Ich war angenehm überrascht, als ich sie bereits gegen zehn Uhr durch den Eingang kommen sah. Hatte sie vielleicht einen freien Tag? Überhaupt – was machte sie eigentlich beruflich? Ihrem Aussehen nach konnte sie gut ein Model sein, doch in meinem Geiste war sie etwas anderes. Ich stellte sie mir als Leiterin einer großen Kosmetikfirma vor oder vielleicht als Chefredakteurin eines Modemagazins. Aber im Grunde war das auch egal. Das Einzige, was zählte, war, dass sie vor mir stand. Hinzu kam noch, dass sie diesmal nicht wie sonst in Eile zu sein schien. Sie schlenderte die Gänge rauf und runter und sah sich einen Blazer und eine Hose an. Danach probierte sie einen wunderbaren Pelzmantel an und bewunderte sich, das weiche Fuchsfell elegant um ihren Körper geschlungen, lange und ausgiebig im Spiegel. Sie sah aus, als würde sie hin und her überlegen, ob sie sich einmal etwas ganz Besonderes leisten sollte. War das gute Stück nicht zu teuer?

Schließlich ging sie weiter und stoppte am Schmucktresen. Die Fashion Gallery war stolz auf ihr breites Sortiment an wertvollen Juwelen und Goldschmuck. Sie probierte mehrere Perlenketten, Diamantringe und mit winzigen Smaragden besetzte Armbänder an. Ich sah, wie sie lange vor einem Paar Ohrringe verharrte, die ich nicht genau erkennen konnte, die aber glitzerten und wertvoll zu sein schienen. Dann ging sie weiter. Offenbar streifte sie ohne konkretes Ziel durch das Kaufhaus. Plötzlich erhellte sich ihre Miene, und ein süßes Lächeln huschte über ihr Gesicht. Ein großer, untadelig gekleideter Mann steuerte selbstsicheren Schrittes auf sie zu.

Mein Herzschlag setzte für eine Sekunde aus. Was war ich doch für ein Idiot! Wie konnte es mich so aus der Fassung bringen, dass diese atemberaubende Frau sich mit einem ebenso atemberaubend aussehenden Mann traf? Hatte ich etwa insgeheim gehofft, sie für mich selber gewinnen zu können? Der Mann war von stattlicher Statur, zwischen ihm und meiner Wenigkeit lagen Welten! Er hatte dichtes, gelocktes schwarzes Haar, meins ergraute zusehends und wurde immer schütterer. Eine Frau wie diese würde niemals Gefallen an mir finden, und es war dumm und einfältig von mir, es mir trotzdem vorzustellen.

Die beiden steuerten die Abteilung für Damenunterwäsche an, wo sie ihrem Begleiter kokett die Dessous zeigte, die sie in den Tagen zuvor anprobiert hatte. Der Mann umrundete bedächtig den Auslagetisch, wählte ein paar Stücke aus und reichte sie ihr. Sein Geschmack war, gelinde gesagt, nicht annähernd so fein wie ihrer. Sie schien Garnituren zu bevorzugen, die elegant und attraktiv waren, nicht derb und anzüglich, er hingegen stand eindeutig auf kleine Fummel, die der Fantasie keinen Raum ließen. Er griff nach engen geschnürten Korsagen, die unbequem, aber aufregend aussahen, und winzigen Tangas mit dazu passenden Strumpfhaltern. Sie lachte, dann lachten sie beide und küssten sich … Sie schienen ein glückliches Paar zu sein. Na ja, dann waren wenigstens die beiden glücklich! Sie nahm ein sehr gewagtes Top und einen Tanga mit Strumpfhalter und verschwand in einer der Umkleiden. Mein vom Himmel gefallener Engel sollte sich in wenigen Augenblicken vor meinen Augen in eine deutlich unseriösere Frau verwandeln. Der Gedanke ließ mich sofort hart werden.

Auf dem Weg zu den Umkleidekabinen stoppte sie bei Nicole, und die beiden tuschelten eine ganze Weile miteinander. Dann kicherten sie und tauschten viel sagende Blicke, während die kleine Nicole den Begleiter »meiner« Kundin ins Visier nahm. Er schien sie schwer zu beeindrucken. Mein Engel betrat die Umkleide, und ich sah, wie Nicole in die Schuhabteilung huschte. Sie suchte ein Paar hochhackige Stiefel aus, die bis zu den Oberschenkeln reichten, ging damit zurück und stellte sie vor Umkleide Nummer acht ab, in der meine Traumfrau sich bereits auszog.

Diesmal schien sie es sehr eilig zu haben, die Sachen anzuziehen, die ihr Lover ausgewählt hatte. Ich bewunderte sie mit großen Augen, wie sie nackt vor mir stand und sich diesmal nicht die Zeit nahm, sich im Spiegel zu betrachten, sondern sofort nach dem Bustier griff, dessen enge Taille ihre Brüste provokativ nach oben über den Rand drückte. Der steife Stoff ließ ihre Taille noch schmaler und ihre üppigen Hüften noch runder erscheinen. Sie zerrte heftig, beinahe hektisch an den vorderen Schnüren der Korsage, sodass ihre Brüste hochgedrückt wurden und die Nippel über den Rand hüpften. Wie benebelt tastete ich nach dem Bildschirm in der Hoffnung, diese herrlich runden vollen Kurven nur ein einziges Mal berühren zu können, die sich mir da auf so sadistische Weise präsentierten und mich schier um den Verstand brachten! Sie schlüpfte jetzt in den winzigen Tanga. Wie konnte es sein, dass mir bis zu dem Tag gar nicht aufgefallen war, was für erotische Fummel in der Fashion Gallery verkauft wurden? Doch ich war angenehm überrascht, auf welche Weise ich dies herausgefunden hatte.

Sie legte den Strumpfhalter um ihre Taille, hakte ihn zu und klemmte die Seidenstrümpfe fest, die sie schon beim Hereinkommen getragen hatte. Dann betrachtete sie sich im Spiegel. Sie schien zufrieden mit dem, was sie sah, öffnete leise die Tür, nahm die Stiefel, die Nicole ihr netterweise hingestellt hatte, und streifte sie über. Sie sah absolut atemberaubend aus. Ich war im siebten Himmel und konnte mich kaum noch beherrschen – und das war erst der Anfang.

»Meine« hübsche Kundin löste jetzt ihr Haar und ließ ihre herrlichen blonden Locken mit einer geübten Handbewegung auf ihre Schultern fallen. Als Nächstes kramte sie in ihrer Handtasche herum und holte einen Lippenstift heraus – knallrot, vermutete ich –, mit dem sie erst ihre Nippel betupfte und dann ihre Lippen anmalte. Dann drehte sie sich um und gönnte mir einen ausgiebigen Blick auf ihren wunderschönen Rücken, ihre beinahe unmäßig runden Pobacken, ihre schlanken, in den weichen Lederstiefeln steckenden Oberschenkel und ihre schmale, anmutige Taille … Anschließend öffnete sie ihrem Liebhaber die Tür.

Er nahm sie genau ins Visier, ließ sie sich drehen und bewunderte seine Kleiderwahl und deren grandiose Wirkung. Dann ging er hinein, schloss die Tür hinter sich und nahm sie in die Arme. Er küsste sie mit gieriger Leidenschaft, liebkoste sie und zwickte und knetete ihren prächtigen Po. Seine Hände strichen über das herrliche weiche Fleisch »meiner« bezaubernden Kundin, und schließlich ließ auch ich meine Hand das tun, wonach es mich schon eine ganze Weile gelüstete. Ich griff nach meinem steifen Schwanz und beobachtete das Paar. Sie setze sich auf einen kleinen Hocker und schwang ihrem Liebhaber ihre Brüste vors Gesicht. Er nahm sie, befreite sie aus der engen Korsage und leckte gierig den Lippenstift von ihren Nippeln. Dann schob er den Tanga zur Seite und legte das heiße Gebüsch »meiner« Kundin frei, um sogleich mit seinem ungeduldigen Finger ihre Möse zu kitzeln. Sie warf den Kopf zurück und spielte mit ihren Brüsten, sodass ihr Liebhaber seine Streicheleinheiten weiter unten intensivieren konnte. Er ging noch tiefer vor ihr in die Hocke, legte eines ihrer in den erotischen Stiefeln steckenden Beine auf seine Schulter und leckte ihre nackte Scham. Ich konnte das Stöhnen meiner Traumfrau beinahe hören und die Schauer beinahe spüren, die ihren Körper durchzuckten, während ihr Liebhaber gierig an ihr saugte. Dann trat er einen Schritt zurück, spreizte ihre süßen Lippen, ließ seinen steifen Finger in ihrer feuchten Spalte verschwinden, zog ihn wieder raus, schob ihn erneut rein und wiederholte das Ganze in einem schneller werdenden Rhythmus. Wild vor Erregung griff sie nach seinem Haar und lächelte verzückt, während er immer wieder mit seinem Finger in sie eindrang. Nachdem sie sich eine Weile auf diese süße Weise hatte verwöhnen lassen, nahm sie ihren eigenen Finger hinzu und begann, sich im Takt zu dem eindringenden und hinausgleitenden Finger heftig zu streicheln. Plötzlich schüttelte sie sich und sackte mit geschlossenen Augen in sich zusammen.

Der Mann nutzte die Gelegenheit. Er öffnete seine Hose, ließ sie auf seine Füße fallen und begann, sich einen runterzuholen. Seltsamerweise masturbierte er im gleichen Rhythmus wie ich, aber das störte mich nicht. Er brachte seinen riesigen Schwanz hinauf zu ihrem Haar und versenkte ihn darin. In dem Moment öffnete sie weit ihren Mund und nahm ihn, unterwürfig vor ihm kniend, in sich auf. Sie schien ihr Handwerk zu beherrschen, ließ seine Riesenlatte beinahe ganz in ihrem Mund verschwinden und holte tief Luft, bevor sie erneut an ihm saugte. Sie saugte so heftig, dass ich sehen konnte, wie sich ihre Wangen nach innen wölbten. Es war eine Qual. Ich begehrte sie so sehr, dass ich hätte schreien können. Ich wollte genauso genommen werden, wollte zusehen, wie sie es mir auf die gleiche Weise besorgte, wie sie es jetzt ihrem Geliebten besorgte, wollte es am gleichen Ort mit ihr treiben und wollte, dass sie dabei die gleichen aufreizenden Sachen trug.

Ich konnte gut, wenn nicht gar zu gut, erkennen, wie der Mann reagierte. Sein Schwanz wurde mit jeder ihrer Liebkosungen größer und härter. Er packte ihren Kopf und drängte sie, ihn noch tiefer in ihrem Mund zu versenken, und sie ließ sich nicht zweimal bitten. Dann bedeutete er ihr, schneller zu saugen. Ihr Kopf war ein einziger blonder Wirbelwind. Plötzlich unterbrach er sie, drehte sie vor dem Hocker um und bedeutete ihr, sich kniend nach vorn zu beugen. Er hockte sich hinter sie und drang mit einem einzigen Stoß und mit solcher Wucht in sie ein, dass ihr Kopf gegen die Wand krachte. Sie wölbte ihren Rücken und spreizte ihre Beine noch weiter auseinander, um ihn noch tiefer in sich aufnehmen zu können. Ich hatte einen freien Blick auf seine enorme, in sie eindringende Latte und konnte beinahe spüren, wie die Muskeln ihrer Möse mit jedem seiner Stöße meinen eigenen Schwanz umspannten. Ich war so erregt, dass ich glaubte zu kommen, ohne mich auch nur zu berühren, doch meine Spannung stieg noch weiter.

Der Mann stand auf, packte meine Traumfrau bei den Haaren und zog sie auf die Beine. Sie ließ es willenlos und ohne jede Einwände mit sich geschehen. Offenbar mochte sie es, grob genommen zu werden. Er presste ihre Handgelenke jeweils neben eine Seite des Spiegels, und ich hätte schwören können, dass sie mich in diesem Moment ansah. Da war sie in all ihrer Pracht, hilflos, mit wilden Augen und ein paar glänzenden Schweißperlen auf der Oberlippe, und sie gehörte mir. Der Mann stellte sich hinter sie. Mit ihren Schwindel erregend hohen Absätzen war sie fast so groß wie er. Sie streckte ihm ihren Po entgegen und presste ihre Oberkörper noch näher an den Spiegel. Ihre Brüste klatschten förmlich gegen meinen Bildschirm. Ich starrte sie fasziniert an und wagte kaum noch zu atmen. Dann nahm er sie plötzlich hart und wild von hinten, sodass ihre Brüste und ihr Gesicht im Takt zu seinen Stößen gegen das Glas prallten. Noch ein bisschen härter, und sie wäre durch den Spiegel gekracht und direkt auf meinem Schoß gelandet … Oh, wie bereit ich für sie gewesen wäre! Ich war härter denn je und knetete meinen armen Schwanz im Takt ihres Liebesspiels. Sie sah aus, als wäre sie in einer anderen Welt. Sie hatte die Augen geschlossen und den Mund geöffnet und musste beinahe übermenschliche Kräfte aufbieten, um nicht laut zu schreien und die anderen Kunden auf sich aufmerksam zu machen. Er stieß immer härter zu und drang mit jedem Stoß noch tiefer in sie ein. Ich spürte, dass sie jeden Moment kommen würden, und ich auch. Plötzlich steigerten sie sich in eine Art Wahn und trieben es immer schneller, ihr Liebesspiel war jetzt nicht mehr leidenschaftlich, sondern unerträglich grob. Sie riss die Augen weit auf, verschwitzte Haarsträhnen klebten ihr im Gesicht. Von der gebildet wirkenden, eleganten Frau, die mir seit fünf Tagen nicht mehr aus dem Kopf gegangen war, war sie jetzt Welten entfernt. Sie hatte sich in eine Tigerin verwandelt, in eine außer Kontrolle geratene Hure. Sie war genauso wild wie er und schwang ihre Hüften und ihre Möse in einem ekstatischen Tanz hin und her, bis sie beide gleichzeitig in einem gewaltigen Höhepunkt explodierten. Anschließend sackten sie eng umschlungen zu Boden und küssten sich erschöpft und vollkommen glückselig und zufrieden.

Währenddessen nahm ich an meinem Arbeitsplatz den

Schaden ins Visier. Ich hatte einen viel sagenden Fleck auf der Hose und eine riesige Pfütze in meiner Hand, die nicht groß genug gewesen war, den Schwall meiner Lust aufzufangen. Ich vergewisserte mich, dass niemand auf dem Flur war, und huschte ungesehen in die Toilette, um mich zu säubern. Ein paar Minuten später kam ich benommen, aber glückselig wieder heraus. Ich schwebte im siebten Himmel, und vor meinem inneren Auge sah ich Bilder, die ich nie vergessen und niemals jemandem offenbaren werde. Sie bleiben mein Geheimnis für zukünftige Sinnesorgien.

»Ach!«, seufzte ich genussvoll. »Sie hat mir wirklich etwas geboten. Gut, dass sie nicht wusste, dass ich zugesehen habe, sonst wäre ich bestimmt nicht so auf meine Kosten gekommen.«

Margaret beschuldigt mich manchmal, ein Schürzenjäger zu sein.

Ich widerspreche ihr zwar immer, aber in Wahrheit hat sie Recht.

In den folgenden Wochen war sie nicht die Einzige, die mich einen Schürzenjäger schimpfte.

Es begann am Dienstagmorgen, dem Tag, nachdem ich gefeuert wurde.

Das war der Tag, nachdem Nicole und ihre Bande Waren im Wert von mehr als achthunderttausend Dollar aus dem Lager der Fashion Gallery gestohlen hatten, dessen Bewachung mir unterstand.

Der Tag, an dem sie das Lager leer räumten und zwei Komplizen sich in einer Umkleidekabine liebten.

Die Schlagzeilen lauteten in etwa so: »Betrügerbande legte voyeuristischen Kaufhausdetektiv rein ...«

Das geschah am Montag, dem siebzehnten Oktober.

Dabei ist allgemein bekannt, dass an Montagen nie etwas passiert.

Lieber Julian

Lieber Julian,

ich habe Dich am vergangenen Samstag im Crystal Club spielen sehen. Du warst wie immer großartig. Meine Freundin hat mich gedrängt, mit Dir zu reden und zu versuchen, Dein Interesse an mir zu wecken, aber ich konnte einfach nicht, auch wenn ich während des ganzen Abends hin- und hergerissen war. Ich bin Dein treuester Fan, das kann ich mit Gewissheit behaupten. Du hast bestimmt jede Menge Fans ... aber sie sind nicht wie ich, glaube mir.

Jedes Mal, wenn ich Dich sehe, klopft mir das Herz bis zum Hals. Es muss etwas mit Deinem Gesicht zu tun haben, Deinem entrückten Blick, der Dich aussehen lässt, als wärst Du in einer anderen Welt, mit Deinen Händen, wenn sie die Saiten Deiner Gitarre zupfen, oder einfach mit Deinem großartigen Talent. Ich liebe es, wie Deine langen Finger virtuos über den Gitarrenhals fliegen, wie sie die Vibration jeder einzelnen Saite spüren und sie zum Klingen oder Schweigen bringen ... Irgendetwas an Dir versetzt mich in eine Art Trance, sodass nichts anderes mehr für mich existiert. Kein anderes Geräusch, kein anderes Bild. Ich bin jetzt nicht mehr in einer lauten Kneipe, hier ist die Luft nicht dick vor Zigarettenrauch, und ich bin allein. Ich schwebe in einer Art Seifenblase, in der es nichts gibt als Dich. Nur Dich, Deinen entrückten Blick und Deine Musik.

*Vielleicht nehme ich beim nächsten Mal endlich all meinen
Mut zusammen und spreche Dich an … Aber ich weiß es
noch nicht. Für den Augenblick reicht mein Mut lediglich aus,
Dich wissen zu lassen, dass es mich gibt. Dass irgendwo da
draußen eine Frau ist, die sich danach verzehrt, dich zu treffen, und die vor Freude schier ausrasten würde, wenn auch
nur ein einziger Deiner Songs von ihr inspiriert werden würde.
Jetzt überspanne ich den Bogen. Bitte entschuldige. Im Augenblick gebe ich mich damit zufrieden herauszufinden, wo Du als
Nächstes spielst. Ich fahre auf jeden Fall hin und bewundere
Dich … und begehre Dich.*

Bis bald, X

Julian konnte es nicht fassen. So etwas war ihm während seiner gesamten Musikerkarriere noch nie passiert. Vielleicht
war das Wort »Karriere« zu gewaltig, um seine Arbeit als Musiker zu beschreiben. Sie hatte ihm in den vergangenen vierzehn Jahren kaum genug eingebracht, um seine Miete und seinen Lebensunterhalt bezahlen zu können, und ihm unterm
Strich mehr Sorgen als Ruhm beschert. Aber er hatte es nie
über sich gebracht, seine Musik aufzugeben, und letztendlich
war daran sogar seine Beziehung zu Janelle kaputtgegangen.

Er zerknüllte den Brief. Doch plötzlich hielt er inne und
überlegte es sich anders. Welcher Mann würde einen solchen
Brief in die Mülltonne werfen? Wahrscheinlich war er von einem Mädchen, das kaum alt genug war, offiziell überhaupt in
den Crystal Club eingelassen zu werden oder von einer frus-
trierten Frau, die sich nicht anders zu helfen wusste, ihr Interesse zu bekunden. Trotzdem freute er sich. Warum auch nicht?
Immerhin war er noch nie so sehr von einer Frau bewundert
worden – zumindest nicht, solange er zurückdenken konnte –
nicht einmal von Janelle …

Sie hatten sich in einer dieser In-Bars kennen gelernt, in

der er manchmal mit seiner Band auftrat. Sie war ihm sofort aufgefallen, aber ihm war nichts Intelligentes oder Passendes eingefallen, um ein Gespräch in Gang zu bringen. Außerdem war er es gewohnt, dass die Frauen den ersten Schritt taten, auch wenn nie viel passierte. Und in so einer Bar durfte man schon gar nichts erwarten ... Doch Janelle hatte ihn nicht eines Blickes gewürdigt. Später dann, während des Konzerts, hatte Ian, der Sänger, das Publikum gefragt, ob jemand auf die Bühne kommen und den »Blues singen« wolle. Janelle war selbstsicher raufgekommen, hatte ihm ein Lächeln zugeworfen, das einen Eisberg hätte schmelzen lassen, und hatte angefangen zu singen.

In diesem Moment hatte er die ersten Symptome von Liebe auf den ersten Blick gespürt. Seine Hände waren feucht geworden, sodass er nicht mehr richtig hatte spielen können, und in seinem Kopf hatte es zu surren begonnen, und das nicht etwa, weil einen Meter von ihm entfernt das Schlagzeug gedonnert hatte. Plötzlich hatte so viel Adrenalin seinen Körper durchströmt, dass er schon befürchtete, eine Art Herzattacke zu bekommen. Aber davon war er weit entfernt gewesen – es war einfach nur sie.

Der langen Rede kurzer Sinn – der Abend hatte viel besser geendet, als er begonnen hatte. Gegen zwei Uhr morgens war Julian unsterblich in eine Frau verliebt gewesen, von der er fast gar nichts gewusst hatte. Alles, was er in Erfahrung gebracht hatte, war, dass sie keine dunklen Geheimnisse hatte, die alles hätten zunichte machen können; es gab weder einen Ehemann noch andere schwer wiegende Probleme, die den Horizont hätten verdüstern können ... Sie war die Frau seiner Träume, und sie hatten mehr als vier Jahre zusammengelebt.

Er schob die Erinnerungen beiseite, bevor sie ihn zu sehr schmerzten, und sah sich noch einmal den Brief seiner Bewunderin an. Obwohl er noch oft an Janelle und den Schmerz denken musste, den sie ihm zugefügt hatte, konnte er nicht umhin, sich geschmeichelt zu fühlen. Seine Neugier war entfacht.

Ein paar Tage später erhielt er eine weitere Nachricht.

Liebster Julian,
gestern Abend warst Du noch verführerischer als sonst. Diesmal war es Dein Haar, das meine Gefühle entflammt hat. In der Bühnenbeleuchtung haben Deine Locken wunderschön geleuchtet … Ich habe mir vorgestellt, wie sie über mein Gesicht streichen.
Ich sehe Dich nie mit einer Frau, Julian. Hat Dich jemand verletzt? Oder reicht Dir eine Frau womöglich gar nicht? Gestern Abend habe ich mir vorgestellt, dass Du nackt auf der Bühne stehst. Ich habe Dich ganz allein unter den in vielen Farben strahlenden Bühnenscheinwerfern spielen gesehen. Dein Körper war eine einzige Sinfonie von Farben, und ich war ganz in Deiner Nähe und habe Dich still bewundert. Bald werde ich den Mut haben, mich zu zeigen. Ich muss nur noch wissen, dass Dein Herz und Dein Körper nicht einer anderen gehören. Ach, könnte ich mir dessen doch sicher sein! Dann würde ich mich Dir mit ganzer Seele hingeben …
Bis bald, Julian. X

Wow! Sie wollte wissen, ob sein Herz jemand anders gehörte! Der Satz wühlte, ohne dass er sich dagegen wehren konnte, Erinnerungen an seine Zeit mit Janelle in ihm auf, an die vier Jahre nahezu vollkommenen Glücks. Wie hatte dieses Glück bloß wegen so einer dummen Sache so jäh zerstört werden können?

Er hatte endlich genug verdient, um sie beide halbwegs über die Runden zu bringen. Janelle hingegen malte und verkaufte mehr und mehr von ihren Bildern. Damals fing sie an, ihn mit Vorwürfen zu überhäufen, weil er ihr keine luxuriösen Geschenke machte, wie sie ihm. Als sie sich wegen einer überteuerten Fernreise in die Haare gerieten, versuchte er ihr klarzumachen, dass es klüger und genauso schön sei, seinen Urlaub in der Nähe zu verbringen. Daraufhin beschimpfte sie ihn als selbstsüchtig und bezichtigte ihn, sie nicht genug zu lieben, um gelegentlich »ein paar kleine Opfer zu bringen«. Mit anderen Worten – er verdiente nicht genug Geld und bewies ihr nicht angemessen seine Liebe, während sie immer reicher und spendabler wurde … Jeder weiß ja, dass Frauen sich für perfekt halten, darüber lohnt sich gar nicht zu streiten. Doch ihr Verhalten wurde zusehends unerträglich. Und dann kam der Tag, an dem sie ihm auch noch vorwarf, nur deshalb in seiner »miesen kleinen Band« zu spielen, um von hübschen jungen Weibern angemacht zu werden.

Das brachte das Fass zum Überlaufen. Zum ersten Mal in ihren gemeinsamen vier Jahren war sie eindeutig zu weit gegangen. Indem sie sich weigerte, Verständnis für seine tiefe und ehrliche Berufung als Musiker aufzubringen, hatte sie ihn an seiner wundesten Stelle getroffen. Er hatte ihr nie Grund zu der Annahme gegeben, dass er untreu sein könnte. Niemals! Er hatte andere Frauen nicht einmal eines Blickes gewürdigt. Schließlich wusste er ja, wie Besitz ergreifend und eifersüchtig seine Freundin war. Außerdem war er immer noch ganz verrückt nach Janelle. Als Pazifist bevorzugte er es, unangenehmen Diskussionen aus dem Weg zu gehen … Sie glaubte ja sowieso, das Recht für sich gepachtet zu haben.

Vor zwei Monaten hatte sie ihm dann ein Ultimatum gestellt: Entweder er schaffe es, ein »normaleres« Leben zu führen – was im Klartext hieß, mit einem höheren Einkommen und garantierter Anwesenheit nach zehn Uhr abends –, oder er könne sich eine neue Wohnung suchen und eine neue Partnerin gleich dazu.

Diesmal gab er nicht nach. Er stand zu seinem Lebensstil und verspürte nicht die geringste Notwendigkeit, sich dafür zu rechtfertigen. Er verließ die gemeinsame Wohnung widerspruchslos und ohne eine Szene zu machen. Das Dumme war nur, dass er Janelle furchtbar vermisste. In der ersten Zeit nach ihrer Trennung kostete es ihn einige Anstrengung, nicht zu versuchen, alles wieder ins Lot zu bringen, doch als sie kein Lebenszeichen von sich gab, hielt er die ganze Sache resigniert für verloren. Vielleicht war es an der Zeit, ein neues Leben zu beginnen …

Zwei Wochen lang hörte er nichts Neues von seiner mysteriösen Briefeschreiberin. Allerdings war er auch nicht oft aufgetreten. Julian dachte schon, seine geheimnisvolle Bewunderin habe jemand anderen gefunden, als er eines Nachts beim Verlassen des Umkleideraums einer heruntergekommenen Bar einen Brief entdeckte, der an die Tür gepinnt und an ihn adressiert war.

Hallo,
bitte entschuldige, dass ich mich nicht gemeldet habe. Leider
habe ich Dein letztes Konzert verpasst. Das soll nie wieder
passieren! Vielleicht findest Du mich ein bisschen seltsam oder
denkst, ich verstecke mich hinter diesen Briefen, weil das, was
ich zu bieten habe, nicht besonders ansprechend ist. Das ist
ganz und gar nicht der Fall, glaub mir … Bald wirst Du es
selbst herausfinden …
Ich muss jetzt aufhören, aber versteh es nicht als Abschied …
wir sehen uns sehr, sehr bald.

X

* * *

Es war ein wichtiger Abend für Julians Band und ihre Zukunft. Im Spectrum sollten sechs verschiedene Gruppen auftreten, und es hieß, dass die Talentsucher einiger wichtiger Plattenfirmen anwesend seien, die auf der Suche nach einer viel versprechenden Band und einem verkaufsträchtigen Hit waren. Sämtliche Band-Mitglieder waren hypernervös, doch es war eine konstruktive Nervosität. Sie hatten einen großen Teil des Tages mit dem Aufbau und den Hörproben zugebracht. Jede Gruppe wollte sicher sein, den bestmöglichen Sound hervorzubringen, wenn sie an die Reihe kam. Sie versuchten, sich so gut wie möglich hinter der Bühne zu entspannen, als Andy, der Türsteher, auftauchte und klopfte. Er reichte Julian einen Brief und zwinkerte ihm zu. Julian sprang von seinem Stuhl. Andy bestätigte ihm, dass die mysteriöse Fremde ihm den Brief tatsächlich persönlich übergeben habe. Julian verlangte nach einer Beschreibung.

»Was soll ich sagen? Du kennst mich doch … Eine Frau eben. Ziemlich groß, glaube ich. Sie trug eine von diesen Kappen, die jetzt alle aufhaben, deshalb konnte ich ihre Haarfarbe nicht erkennen. Außerdem hatte sie eine Sonnenbrille. Aber für eine Frau sah sie ganz nett aus …«

Andy war keine große Hilfe. Er war schwul und stolz darauf. Für ihn sahen alle Frauen gleich aus. Innerlich aufgewühlt riss Julian den Brief auf.

Hallo, Julian,
ich komme heute Abend. Ich werde Dich bewundern und mit ganzem Herzen bei Dir sein. Ich weiß, dass Du ganz groß einschlagen wirst … Wäre es nicht schade, wenn wir Deinen Erfolg nicht gemeinsam feiern würden? Wer weiß, vielleicht ist heute der entscheidende Abend gekommen? Ich werde es mir während des Konzerts überlegen. Du wirst nicht enttäuscht sein, wenn wir uns endlich begegnen, das

verspreche ich. Vielleicht bis später. Wenn nicht, dann bis
bald.

Julian las den Brief immer wieder. Er wünschte sich, dass sie sich endlich zu erkennen gab, erst recht, wenn das Konzert wirklich ein Erfolg würde. Wenn nicht, hätte er sicher keine Lust, sich mit einer Fremden zu unterhalten – einer Fremden zudem, die vermutlich nicht einmal sein Typ war.

Schließlich verstaute er den Brief zusammen mit der anderen Post seiner geheimnisvollen Bewunderin in seiner Gitarrentasche. »Wir werden sehen«, murmelte er zu sich selbst.

Fürs Erste versuchte er, sich voll auf das bevorstehende Konzert zu konzentrieren. Die anderen Band-Mitglieder übten unermüdlich ihre Stücke, um im entscheidenden Moment bloß keine schrägen Töne hervorzubringen, doch Julian war mit seinen Gedanken woanders. Ob diese Frau es womöglich fertig zu bringen vermochte, dass er Janelle endlich vergaß? Seine Janelle, die er trotz ihrer Stimmungsschwankungen und ihres wenig ausgeprägten Geschlechtstriebs über alles geliebt hatte. Anfangs hatte es ihm durchaus zu schaffen gemacht, dass sie sich ihm nur höchst selten hingegeben hatte. Doch eins musste er ihr lassen: Wenn sie es mit ihm getrieben hatte, war es stets ein unvergessliches Erlebnis gewesen, auch wenn sie nicht gerade übermäßig fantasiereich oder für irgendwelche ausgefallenen Sex-Spiele zu haben gewesen war. Doch sie war beim Liebesspiel immer mit einer derartigen Hingabe bei der Sache gewesen, dass er jedes Mal tief bewegt gewesen war.

Er riss sich von seinen Gedanken los und versuchte, seine schmerzvollen Erinnerungen ein für alle Mal zu begraben. Vielleicht entpuppte sich sein geheimnisvoller Fan ja doch als eine angenehme Überraschung …

All diese Fragen spukten ihm im Kopf herum, als sie

schließlich auf die Bühne mussten. Die Band-Mitglieder klopften einander auf den Rücken, um sich Mut zu machen, ein Ritual, das sie vor jedem wichtigen Auftritt vollzogen. Dann gingen sie auf die Bühne und nahmen ihre jeweiligen Plätze ein. Die Stimmung war aufgeheizt, der Konzertraum zum Bersten gefüllt. Die Menge begrüßte sie begeistert, und jeder der Musiker legte sich voll ins Zeug, um das Beste aus seinem jeweiligen Instrument herauszuholen.

Julian fühlte sich gleich von den ersten Takten an unbezwingbar. Deshalb bin ich Musiker!, sagte er sich nach einem Stück, das ihnen besonders gut gelungen war. Das Publikum tobte vor Begeisterung. Das Konzert lief so gut, dass es Julian beinahe sexuellen Genuss bereitete. Wenn Janelle beim Malen ihrer Bilder je so etwas erlebt und eine derartige ekstatische Hochstimmung verspürt hätte, hätte sie sich nie so verhalten, wie sie es getan hatte! Unmengen von Adrenalin ließen ihn unter permanenter Hochspannung stehen, brachten seine Nerven zum Schwingen und sorgten für eine unglaubliche Empfindsamkeit, die in seiner Musik deutlich zum Ausdruck kam. Während des letzten Stücks legte er ein Gitarrensolo hin und fühlte sich wie ein Gott. Er hätte schwören können, noch nie in seinem Leben so gut gespielt zu haben. Plötzlich bemerkte er, dass er froh sein konnte, seine Gitarre vor sich zu haben ... Seine Erektion, die sich gleich zu Beginn des Konzerts bemerkbar gemacht hatte, war zu einem gigantischen Ständer herangewachsen.

Die fünf Musiker verließen die Bühne unter tosendem Applaus. »Tolles Konzert!«, gratulierten sie einander gegenseitig. Niemand wagte laut zu sprechen, doch das Grinsen auf ihren Gesichtern sprach Bände. Als das Publikum mit anhaltendem Applaus und Sprechchören nach einer Zugabe verlangte, sprangen sie zurück auf die Bühne. Das Stück, das sie spielten, ging ihnen genauso gut von der Hand wie die vorherigen, und

Julians Erregung steigerte sich ins Unermessliche. Sein Schwanz äußerte sein Wohlgefallen, indem er noch härter und noch größer wurde.

Als sie die Bühne endgültig verließen, standen die Musiker vollkommen unter Strom. Sie hatten nur eine Viertelstunde Zeit, ihr gesamtes Equipment abzubauen, deshalb eilten sie in den Umkleideraum, um wenigstens kurz auf das gelungene Konzert anzustoßen.

Julian hatte die Bühne als Letzter verlassen, sodass niemand seine Abwesenheit bemerkte. Eine Frau, die er in der Dunkelheit nicht hatte erkennen können, hatte ihn wie aus heiterem Himmel am Arm gepackt, ihn in einen dunklen Abstellraum gezogen und hinter ihnen die Tür geschlossen. Seinen anfänglichen Protest erstickte sie, indem sie ihm ihren feuchten Mund auf die Lippen drückte. Und was für ein Mund das war! Eine gierig forschende Zunge zwängte sich zwischen seinen Lippen hindurch, eine Zunge, die begehrlich und zurückhaltend zugleich schien –, und die vordrang, als ob sie von einer kaum im Zaum zu haltenden Leidenschaft getrieben würde. Julian hatte das Gefühl, der Kuss dauerte mehrere Minuten.

»Julian, bitte geh jetzt nicht weg ...«

Die Stimme war sanft und leise, beinahe ein Flüstern. Ohne auf eine Antwort zu warten, küsste die Unbekannte ihn erneut. Julians praller Penis, der von seiner Power noch kein bisschen verloren hatte, richtete sich noch weiter auf. Ob diese Frau sein mysteriöser Fan war? Wie sie wohl aussah? Ihre Küsse waren eine einzige Wonne, doch bei dem Gedanken, dass sie womöglich drei Zentner auf die Waage brachte und eine hässliche Vogelscheuche war, grauste es ihn. Er streckte vorsichtig seine Hände aus und tastete nach ihrem Körper. Hmm!, sagte er still zu sich selbst. Nicht schlecht! Ich kann problemlos ihre Taille umfassen, das ist schon mal ein gutes Zeichen ... zumindest für diese Zone ihres Körpers. Er ließ seine Hände auf ihre Hüften hinabgleiten und ertastete auch dort nur angenehme Kurven.

Die geheimnisvolle Fremde fühlte sich durch seine Gesten offenbar ermutigt und wagte sich weiter vor. Mit einem wohl platzierten Seufzer prüfte sie, wie Julians Männlichkeit auf ihr Tun reagiert hatte, und sie wurde alles andere als enttäuscht. Ihre zierlichen Hände umfassten seine Pobacken und fuhren die Rückseite seiner Oberschenkel hinab. Dann wagten sie sich nach vorn und machten sich daran, seinen Hosenschlitz zu öffnen.

»He, Moment mal! Ich muss zurück ...«

»Eine Minute noch«, flüsterte sie.

Sie bedeckte seinen schweißnassen Hals und seine Brust mit leidenschaftlichen Küssen und ließ ihren Mund peu à peu weiter nach unten wandern. Julian nutzte die Gelegenheit und betastete ihre großen festen Brüste, die in ihrer Bluse ziemlich eingeengt zu sein schienen. Das wird ja immer besser!, dachte er bei sich. Aber er musste unbedingt zurück auf die Bühne und den anderen beim Abbau helfen. Doch wie sollte er der Situation entkommen, die schließlich alles andere als unangenehm war? Welcher Mann wäre wohl so blöd, sich so eine Gelegenheit entgehen zu lassen?, fragte er sich im Brustton der Überzeugung, um sein schlechtes Gewissen zu erleichtern.

Die Frau hatte bereits »geschaltet« und peilte entschlossen ein ganz bestimmtes Ziel an. Als es ihr endlich gelungen war, ihn aus seiner engen Jeans zu pellen, ging sie daran, seinen jetzt frei und unbeschwert stehenden Schwanz zu zähmen, indem sie ihm mit der Zunge neckische Stupser verpasste. Julian stöhnte. Seine Kumpel würden schon ohne ihn klarkommen. Jetzt gab es kein Zurück mehr, erst recht nicht, nachdem ihr gieriger kleiner Mund ihn nun auch noch vollständig einsog und ihn mit einer extrem nassen Zunge leckte. Sein Ständer war der ganzen Länge nach von einer warmen weichen Speichelspur überzogen.

In einem letzten lichten Augenblick griff er nach dem Haar seiner Wohltäterin und wollte daran riechen. Er musste herausfinden, wie sie aussah, und wenn er sich nur eine vage Vorstellung machen könnte. Doch sie trug irgendeine große Kappe, vielleicht eine Art Barett. Ob sie ganz kurzes Haar hatte oder extrem langes, das unter der Kappe hochgesteckt war? Wie auch immer – jedenfalls verstand sie ihr Handwerk! Sie schien ihn unbedingt martern zu wollen. Nach ein paar Minuten triefte sein Schwanz vor Erregung. Die Frau übergab ihn vom Mund an ihre Hand und massierte mit beschwingten Fingern sanft seine Hoden, die sie zunächst zärtlich einzeln bearbeitete und dann mit brennendem Druck aneinander knetete.

»Tut mir Leid, Julian«, murmelte sie. »Ich kann nicht mehr warten.«

»Das … das ist okay, wirklich. Aber eins musst du mir noch sagen: Warum versteckst du dich vor mir?«

»Das erkläre ich dir ein andermal.«

Sie nahm ihn erneut zwischen die Lippen und versenkte ihn in ihrem Mund. Er hatte das Gefühl, ganz tief in ihr zu sein, beinahe sogar zu tief. Die ungestüme Leidenschaft, mit der sie zu Werke ging, erstaunte ihn, doch er wollte sich bestimmt nicht beklagen. Auf diese Art verwöhnt zu werden, hatte er sich von Janelle oft gewünscht, doch sie hatte sich immer geweigert … Was für eine seltsame Situation, in die er da mir nichts, dir nichts geraten war: Da stand er, eingeschlossen in einer Besenkammer, mit einer vollkommen Unbekannten, die ihm so herrlich einen blies, wie ihm noch nie zuvor eine Frau einen geblasen hatte! Und das passierte *ihm*! Jetzt, in diesem Augenblick!

Die Frau ging nur noch forscher zur Sache, als ob sie ihn erst rumkriegen müsste. Sie leckte und saugte immer schneller. Ihre Hand griff erneut nach seinen Hoden und knetete sie. Er hatte das Gefühl, als würden sie jeden Moment platzen. Schließlich setzte sie zu einer ungestümen Attacke an, bei der sie im Wechsel heftig an ihm saugte und lutschte und ihn ohne Schwierigkeiten dazu brachte, mit einem kräftigen Schwall im Mund seiner Wohltäterin zu kommen.

Julian schnappte nach Luft. Er spürte, dass die Fremde sich von ihm wegbewegte. Dabei wollte er ihr noch eine Unmenge von Fragen stellen! Na ja, später würden sie noch genug Zeit dafür haben ... Doch noch bevor seine Atmung sich wieder normalisiert hatte, sah er durch den geöffneten Türspalt Licht in die Kammer fallen und registrierte zu spät, dass sie nach draußen huschte. Plötzlich war sie weg.

Das Ganze hatte wahrscheinlich nicht mehr als ein paar Minuten gedauert, allerhöchstens zehn, doch Julian hätte schwören können, dass es Stunden gewesen waren. Stunden intensiver Sinneslust ... Er blieb noch einen Moment in der dunklen Kammer, um sich zu erholen, und fragte sich, ob das alles nur ein Traum gewesen war. Doch seine zerknitterte, auf den Knöcheln hängende Hose und sein noch bebender Schwanz waren Beweise dafür, dass er keiner Sinnestäuschung erlegen war. Er hatte keine Ahnung, wie er reagieren sollte. Sollte er sich schlecht fühlen, weil die Unbekannte einfach über ihn hergefallen war? Nein, dafür hatte er ihr Treiben viel zu sehr genossen. Schade nur, dass er keine Ahnung hatte, wie seine Wohltäterin aussah. Auf jeden Fall hat sie eine gute Figur!, stellte er grinsend fest. Und viel wichtiger noch – sie hatte ihm einen unglaublich intensiven Orgasmus beschert.

Schnell zog er seine Hose hoch, fuhr sich mit der Hand durch das zerzauste Haar und eilte zurück hinter die Bühne.

Als seine Kumpel ihn sahen, stichelten sie:

»Wo warst du denn? Wollten die Fans dich nicht gehen lassen?«

»Ihr wisst ja gar nicht, wie Recht ihr habt!«, entgegnete Julian und bedachte sie mit einem geheimnisvollen Lächeln.

Die anderen verließen den kleinen Raum, und Julian setzte sich einen Moment und machte sich ein Bier auf. Er fragte sich, wann die mysteriöse Unbekannte wohl wiederkommen würde. Bestimmt würde sie jeden Augenblick da sein. Doch als die Flasche leer war, war sie noch nicht wieder aufgetaucht. Mit einiger Mühe erhob er sich und grübelte, ob es das Konzert gewesen war, das ihn so entkräftet hatte, oder eher das, was danach gekommen war …

Er ging zu den anderen auf die Bühne und räumte schnell seine Gitarre und seine Noten weg, um Platz für die nächste Gruppe zu machen. Bevor er seine Sachen im Umkleideraum zusammensuchte, gönnte er sich ein zweites Bier. In der Umkleide stieß er auf Alan, der ihn überrascht fragte, ob er schon gehen wolle. Julian erwiderte, dass er nur schnell seine Gitarre ins Auto bringe und sich dann zu den anderen geselle. Doch Alan, dem das verzückte Grinsen seines Kumpels schon vorher aufgefallen war, konnte sich nicht länger zurückhalten:

»Grinst du eigentlich so versonnen, weil wir so ein grandioses Konzert hingelegt haben, oder hast du andere Gründe?«

»Du wirst nie und nimmer glauben, was mir gerade passiert ist. Als ich von der Bühne gegangen bin und …«

»Los, Leute, beeilt euch! Wir brauchen Platz für die nächste Gruppe!«

Einer der Organisatoren platzte genau in dem Moment in die Umkleide, als Julian gerade sein Geheimnis ausplaudern wollte. Kurz darauf endeten sie alle an der Theke und verbrachten den Rest des Abends trinkend und sich gegenseitig mit Lob überhäufend. Sie lauschten den anderen Bands und becherten fröhlich weiter. Julian stahl sich irgendwann davon und suchte die Besenkammer. Er hoffte, dass ihm dort vielleicht ein hübsches Mädchen mit einer Kappe begegnete, doch die Unbekannte hielt sich im Verborgenen. Am Ende des Abends hatten die unzähligen Biere auch den Rest des Freudenfeuers in seinem Schritt gelöscht, und er hörte auf, nach der geheimnisvollen Frau zu suchen. Ziemlich betrunken erzählte er Alan von seiner kurzzeitigen Entführung in die Besenkammer. Allerdings war er sich zu diesem Zeitpunkt schon nicht mehr so sicher, ob nicht doch alles nur ein Traum gewesen war. Er weihte seinen Kumpel haarklein in alle schlüpfrigen Details ein und genoss es, wie dieser staunte und vor Neid erblasste.

Später, auf dem Nachhauseweg, fragte er sich allerdings, ob er die Geschichte nicht besser für sich behalten hätte.

* * *

Nach jenem Abend überschlugen sich die Ereignisse. Julians Band bekam einen attraktiven Plattenvertrag angeboten, und infolgedessen traten sie seltener auf, um mehr für die Aufzeichnungen proben zu können. Julian dachte immer weniger an die geheimnisvolle Frau und die schönen Dinge, die sie mit ihm angestellt hatte. Eigentlich glaubte er schon kaum noch, dass das Ganze wirklich passiert war – außer nachts, wenn er sich unter seiner Decke nach ihr sehnte. Sie hatte drei Wochen lang kein Lebenszeichen von sich gegeben. Ob sie von ihm enttäuscht war? Hatte er etwas falsch gemacht? Aber sie war es doch gewesen, die alles eingefädelt und die Initiative ergriffen hatte! Vielleicht war es das – sie wartete auf eine Art Antwort von ihm … Aber sie war wie vom Erdboden verschluckt! Was für ein Pech für sie!

Julian hatte keinen Schimmer, dass sie in genau diesem Augenblick mit Alan telefonierte. Sie brauchte seine Hilfe für ihren nächsten Überraschungsbesuch bei Julian.

»Hallo, Alan. Hier ist Janelle.«

»Janelle? Oh, hallo. Wie geht's?«

»Gut, danke. Hör mal, ich muss dich etwas fragen – dass ich nicht über das Wetter mit dir reden will, kannst du dir ja sicher denken. Hat Julian dir vielleicht von irgendetwas Ungewöhnlichem erzählt, das ihm am Abend eures Konzerts im Spectrum widerfahren ist?«

Alan schwieg für ein paar Sekunden und rief sich die ungeheuerliche Geschichte in Erinnerung, die sein Freund ihm an jenem Abend zu vorgerückter Stunde anvertraut hatte. Damals hatte er ihm nur halbherzig geglaubt.

»Dann stimmt es also? *Du* warst das?«

»Ich weiß ja nicht, was Julian dir erzählt hat, aber ja, ich war diejenige welche. Vielleicht kommt dir meine Vorgehensweise ein bisschen seltsam vor, aber ich habe meine Gründe. Du kannst dir nicht vorstellen, wie sehr ich ihn vermisse.«

»Bitte, Janelle, halt mich da raus!«

»Das tue ich ja. Pass auf! Der Grund meines Anrufs ist, dass ich zu eurem nächsten Konzert nach Quebec City fahre. Ich möchte Julian noch einmal überraschen, aber diesmal will ich ihn wirklich nach allen Regeln der Kunst verführen, wenn du weißt, was ich meine … Danach wird er wissen, dass ich die geheimnisvolle Unbekannte bin.«

»Janelle, warum tust du das? Er fängt gerade an, über eure Trennung hinwegzukommen. Ich finde das nicht fair.«

»Das geht nur ihn und mich etwas an, Alan. Was ich von dir möchte, ist ganz simpel. Lass mich einfach nur nach dem Konzert hinter die Bühne und sieh zu, dass alle anderen ohne ihn verschwinden. Ich weiß, dass Julian immer noch ein paar Minuten allein bleibt, bevor er sich wieder in den Trubel stürzt, um zu dekomprimieren, wie er es nennt …«

Alan dachte kurz nach.

»Das könnte klappen … Aber du musst pünktlich auf die Minute sein. Falls er nach dem Konzert doch sofort abhaut, ist das nicht meine Schuld.«

»Den Versuch ist es mir wert.«

* * *

Julian hatte sich die Frau gerade aus dem Kopf geschlagen, als er einen weiteren Brief von ihr bekam. Er grinste wie ein Idiot, als er sich bis ins kleinste Detail vor Augen rief, was sie bei ihrer letzten Begegnung mit ihm angestellt hatte.

Lieber Julian,
es ist ganz schön schwierig geworden, mit Dir in Kontakt zu bleiben. Ich habe schon gefürchtet, Dich nie mehr wieder zu sehen! Das wäre doch zu schade, findest du nicht auch? Ich hoffe, ich habe Deine Erwartungen bei unserer letzten Begegnung nicht enttäuscht … Ich habe mich wirklich bemüht, einen guten Eindruck bei Dir zu hinterlassen!
Ich verrate Dir nicht, warum ich beim letzten Mal nicht länger bleiben konnte, es ist völlig unwichtig. Aber ich bin bei Deinem nächsten Konzert in Quebec City dabei. Könntest Du Dir ein ähnlich schönes Treffen wie beim letzten Mal vorstellen – oder ein noch schöneres?
Bis dahin, in Liebe, X

Quebec City. Sie würde in Quebec City dabei sein … Julian liebte die Stadt. Sie war nicht nur schön, sie war auch warm und lebendig – dort war einfach alles möglich. Und vielleicht hatte er ja Glück, vielleicht würde »alles« passieren! Er platzte fast vor Ungeduld und zwang sich, nicht völlig außer Fassung zu geraten, indem er sich alle möglichen unangenehmen Dinge vorstellte, die passieren konnten.

– Vielleicht war sie, wie er schon zu Beginn befürchtet hatte, hässlich wie eine Kröte, und in dem Fall würde er es bereuen, seinen ungestümen Schwanz in ihren Mund versenkt zu haben, doch er würde die Episode unter »Fehltreffer« einordnen und vergessen;

– vielleicht war sie absolut verrückt und würde drohen, ihn umzubringen, wenn er sie nicht anziehend fände;

– vielleicht war er das hilflose Opfer eines üblen Streiches geworden, eines miesen, hinterhältigen Spielchens, das nur Frauen zu spielen imstande sind. Vielleicht hatte es ihn einfach nur durch Zufall getroffen.

Mehr fiel ihm nicht ein. Ist das schon alles? Dann ist das Risiko ja nicht gerade besonders groß!, musste er sich eingestehen. Und wenn sie es mir wieder so besorgt wie beim letzten Mal, kann man für so einen Sinnestaumel ja wohl eine kleine Demütigung hinnehmen, oder?

* * *

In ihrem Hotel in Quebec angekommen – wobei das Wort »Hotel« nur eine beschönigende Umschreibung von »speckiger Raum mit durchhängender Matratze wie üblich« war –, vollzogen die Musiker ihr gewohntes Ritual: Sie losten aus, wer das Privileg eines Einzelzimmers genießen durfte. Dieses Mal war Julian der Glückliche, und er empfand es als gutes Omen. Sie duschten schnell und machten sich auf den Weg zum Veranstaltungsort.

Gegen zweiundzwanzig Uhr war der Saal gerammelt voll. Mehrere lokale Radiosender hatten im Vorfeld des Konzerts eine Promotion-Aktion für sie gestartet und behandelten sie wie Stars. Das Konzert lief gut, doch es hatte nicht die Magie wie beim letzten Mal; entweder waren sie verkrampft, oder sie waren mit ihren Gedanken woanders. Doch die Zuschauer schienen nichts davon zu merken, denn sie feierten die Band mit rauschendem Beifall und forderten zwei Zugaben.

Julian war ungeduldig. Er liebte es zu spielen, er liebte die Spannung und die Anerkennung seines Publikums, doch an diesem Abend musste er ständig daran denken, was ihn wohl nach dem Auftritt erwartete. Würde sie ihr Versprechen wahr machen? Eigentlich hatte er keinen Grund, an ihrem Wort zu zweifeln. Er gab sich alle Mühe, das Publikum glauben zu machen, dass er sich voll und ganz seiner Musik hingab. Als das Konzert vorbei war, folgte er nicht sofort den anderen in die Umkleide; er zog es vor, noch ein bisschen hinter der Bühne zu verweilen. Wenn er dort wartete, wäre es sicher einfacher für die mysteriöse Unbekannte, ihn in eine dunkle Ecke zu zerren, falls sie das vorhatte – jedenfalls redete er sich das ein. Es vergingen zehn Minuten, und sie tauchte nicht auf, sodass er beschloss, doch in die Umkleide zu gehen. Die anderen Band-Mitglieder wollten sich gerade an die Theke begeben, wo bereits auf jeden von ihnen ein kühles Blondes wartete und, wenn sie Glück hatten, auch ein paar heiße blonde Fans …

»Kommst du, Julian?«

»In einer Minute!«

»Mach schon, unsere Fans brennen darauf, uns zu treffen!«

Julian gab sich geschlagen. Die Aussicht auf ein Bier war zu verlockend. Er konnte sich immer noch später umziehen.

* * *

Der Umkleideraum war abgeschlossen. Jeder Musiker hatte von den Organisatoren des Konzerts einen Schlüssel bekommen, und man hatte ihnen versichert, dass außer ihnen niemand Zugang zu dem Raum habe. Er öffnete die Tür und suchte nach dem Lichtschalter. Nach einigem Fummeln stellte er fest, dass er mit Klebeband abgedeckt war! Plötzlich ging hinter ihm die Tür zu. Die geheimnisvolle Frau war da und legte ihm eine Hand auf die Schulter.

»Du wusstest, dass ich kommen würde, stimmt's?«, flüsterte sie ihm ins Ohr.

»Ich hatte es gehofft.«

»Aha! Dann habe ich dich beim letzten Mal also nicht enttäuscht?«

»Ich bin auch nur ein Mann!«

Er spürte, dass sie vor ihn trat. Sie nahm seine Hand und legte sie auf ihre nackte Schulter, was ihn auf der Stelle erbeben ließ. Hatte sie etwa nichts an? Als Nächstes führte sie eine seiner Hände zu ihrem nackten Busen und die andere zu der Wölbung ihrer Hüfte. Er berührte ihre glatte Haut, die so weich war wie Samt. Ihre Proportionen schienen perfekt, so viel ertastete er blind. Außerdem hatte sie langes seidenes Haar, das ihren Rücken umschmeichelte. Er liebte langes Haar!

Sie drückte sich langsam an ihn und gab ihm einen langen Kuss, der nach Minze schmeckte. Dann zog sie sein Hemd aus der Hose, knöpfte es in aller Seelenruhe auf und rieb ihren üppigen Busen an seiner behaarten Männerbrust.

»Bald wirst du wissen, wer ich bin«, flüsterte sie ihm ins Ohr. »Aber bevor ich mich dir zu erkennen gebe, möchte ich dich kosten, und zwar mit Haut und Haar. Darauf habe ich so lange gewartet! Ich verspreche dir, dich nicht zu enttäuschen. Ich gebe mir alle Mühe, es dir auf ganz besondere Art zu besorgen, damit du mich nie vergisst, falls wir uns nicht wieder sehen.«

»Aber warum sollten wir uns nicht wieder sehen?«, flüsterte er zurück.

»Das wirst du selber am besten wissen …«

Mit diesen Worten nahm sie einen seiner Finger und legte

ihn an ihren Mund. Sie leckte und saugte an ihm und führte ihn dann zwischen ihre Beine.

»Merkst du, wie heiß du mich machst?«

»Mir geht es genauso. Du machst mich verrückt. Aber meine Kumpel kommen jeden Augenblick zurück, und …«

»Nein, sie kommen nicht. Darum habe ich mich gekümmert …«

Sie war kaum zu verstehen, doch man hörte, dass sie vor Begierde bebte. Er grinste in die Dunkelheit. Er war zu allem bereit und hatte noch nie im Leben so einen knallharten Ständer gehabt. Gönn dir das Vergnügen! Wahrscheinlich hält es nicht lange an!, ermahnte er sich ein weiteres Mal. Wenn es nach ihm ginge … Er stellte sich eine schöne junge Frau vor, doch plötzlich überkamen ihn erneut Zweifel: Was, wenn das alles ein Riesenfehler war? Doch sein Körper sprach eine andere Sprache; für ihn war es zu spät zum Denken, jetzt war es an der Zeit zu handeln! Mit neugierigen Fingern erkundete er die Schenkel, die sich ihm entgegenpressten, und den geheimnisvollen Ort dazwischen. Sie war feucht, nein, sie schwamm geradezu im Saft ihrer Lust. Jeder Zentimeter ihrer glatt rasierten Möse war seinem eroberungsfreudigen Finger ausgesetzt. Nachdem er sie eine Weile gestreichelt hatte, zog sie ihn auf den Boden und bedeutete ihm, sich auf dem Teppich auf den Rücken zu legen. Er spürte, wie sie ihm ein langes schlankes Bein zwischen die Oberschenkel schob und daran ging, seinen Schwanz in all seiner Verletzlichkeit zu erobern. Ihr Haar fiel über ihn, verweilte über seiner Leistengegend und kitzelte ihn vom Gesicht bis zu den Knien. Eine samtige Zunge fuhr über seine Haut und hinterließ eine Spur süßer Spucke.

Sie nahm ihn zwischen ihre Lippen und sog ihn tief in ihren geöffneten Mund. Sie war äußerst talentiert, umfasste seinen Liebesknochen genau mit dem richtigen Druck und saugte genau mit der passenden Intensität. Es war eine Wonne, und er spürte, wie sein Schwanz noch einmal um zwei Zentimeter wuchs. Dann richtete sie sich auf und massierte ihn mit ihrer feuchten Hand. Wahrscheinlich, so vermutete er, rieb sie sich selber mit der anderen. Außer ihrer immer schneller werdenden Atmung war es absolut still. Er spürte ihre vibrierende Hand auf ihrem Körper und ihre immer heftigere Erregung, die sie sich selbst verschaffte. Plötzlich kam sie: Er merkte, wie ihr Körper sich straffte, für einen Augenblick erstarrte und sich dann wieder entspannte. Sie hatte ihren Orgasmus still ausgekostet, ohne ihm die Chance zu geben, an ihrem Sinnestaumel teilzuhaben oder ihn mit ihr zu teilen. Doch sie erholte sich erstaunlich schnell und begann, ihn erneut zu liebkosen. Sie hockte sich rittlings auf ihn und führte seinen Liebesknochen in ihre nur allzu feuchte Höhle. Dann ließ sie sich vorsichtig herabsinken und von ihm aufspießen. Für einen Augenblick verharrte sie regungslos, dann beugte sie sich vor, küsste ihn leidenschaftlich und setzte zu einem langsamen Ritt an.

Er war ihr ausgeliefert, hatte keinerlei Kontrolle über die Situation. Nicht, dass er etwa die Absicht gehabt hätte, sich dagegen zu sträuben! Schließlich wurde er nach allen Regeln der Kunst verwöhnt! Wie herrlich, wenn zur Abwechslung mal jemand anders das Ruder übernahm! Sie schwebte geradezu über ihm, leicht und geschmeidig, und als sie ihr Gewicht auch noch auf ihre hohen Absätze verlagerte, schien sie sich nahezu schwerelos auf seinem Körper auf und nieder zu bewegen. Hoch, runter, hoch, runter, ganz sanft und zärtlich.

Er spürte, wie er nach hinten gezogen wurde. Sie hatte sich gedreht, glitt immer noch auf ihm auf und nieder und beschleunigte ihr Tempo; sie nahm ihn geradezu mit Gewalt, ließ ihn spüren, wer das Regiment führte. Ihre Möse klatschte in rhythmischen Abständen gegen sein Becken und ließ ihn jedes Mal leise aufschreien. Am liebsten hätte er sie kurzerhand umgedreht, sie von vorne genommen und ihr gezeigt, aus welchem Holz er geschnitzt war, doch sie merkte sofort, was er vorhatte, und packte ihn bei den Armen. Sie führte ihn zur Tür und fesselte seine Hände hinter seinem Rücken mit einem Schal, den sie plötzlich aus dem Nichts hervorgezaubert hatte. Wie hatte sie ihn bloß in der Dunkelheit gefunden? Er hatte keine Ahnung, aber es interessierte ihn auch nicht im Geringsten.

Sekunden später war er am Türknauf festgebunden. Mit seinem steil nach vorn gerichteten Schwanz war er ein hilfloses Opfer, das keine andere Wahl hatte, als seine Bedrängerin gewähren zu lassen. Janelle hockte sich auf allen Vieren und mit zusammengepressten Schenkeln vor ihn, zwang ihn von hinten in sich hinein und sorgte durch ihre schnellen Bewegungen dafür, dass sie immer ungestümer vögelte. Ihre Möse war nass und warm. Sie fühlte sich an wie aus Samt und rutschte gnadenlos mit kraftvollen Bewegungen auf seinem Schwanz hin und her. Ihre Pobacken krachten mit voller Wucht gegen seinen Bauch. Ihr langes, nach hinten geworfenes Haar klebte in seinem schweißnassen Gesicht. Er gab sich alle Mühe, seine Stöße unter Kontrolle zu halten, sich ihrem Rhythmus anzupassen und selber die Zügel in die Hand zu nehmen. Er spürte, dass er jeden Moment kommen würde, doch er wollte die süße Marter noch eine Weile hinauszögern und auskosten. Aber sie hatte anderes mit ihm vor. Sie stützte sich auf die Ellbogen, spreizte die Beine, drängte sich mit aller Kraft gegen ihn und umschloss und presste seinen Schwanz so fest, dass er unfähig war, sich länger zu beherrschen. Er zuckte vor Lust und explodierte in ihr.

Schnell löste sie seine Fesseln, zog ihn zu sich auf den Boden und kuschelte sich an ihn. Er wusste nicht, was er sagen sollte, doch seine Kehle war sowieso so trocken, dass er keinen

Ton herausgebracht hätte. Sie hatte ihn vollkommen überwältigt und sprachlos gemacht.

Sein Herzschlag hatte sich kaum normalisiert, als sie einen Schlüssel in der Tür hörten.

»Einen Augenblick!«, rief er entsetzt. »Gebt mir eine Minute, Jungs!«

Sie sprangen auf und suchten eilig ihre Kleidung zusammen, die überall auf dem Boden verstreut war.

»Mach schon! Lass mich rein! Ich will mich umziehen!«

Diese Stimme … Janelle spürte, wie sich ihr Magen umdrehte. War das möglich?

»Jetzt mach endlich, Alan! Wie lange brauchst du denn noch? Ich komme jetzt rein!«

Janelle hatte das Gefühl, einen Schlag mit dem Hammer auf den Kopf zu bekommen. Alan? Das konnte doch nicht sein … Aber war das nicht unmissverständlich Julians Stimme auf der anderen Seite der Tür? In dem Augenblick machte Julian die Tür einen Spalt weit auf und ließ gerade genug Licht hineinfallen, dass sie ihn deutlich erkannte.

Brigittes Geheimnis

Brigitte musterte ihre Reisebekanntschaft halb skeptisch, halb verstört.

»Das meinst du nicht ernst, oder?«

»Doch, absolut.«

»Das muss ich mir erst mal durch den Kopf gehen lassen ...«

»Aber nicht zu lange.«

Sie dachte nach und versuchte, sich vorzustellen, was er ihr so rundheraus vorgeschlagen hatte. »Na ja, eigentlich müsste es klappen«, stellte sie schließlich fest und nickte.

Sie dachte an die vergangene Woche, die sie zusammen verbracht hatten. Brigitte war zum Arbeiten nach Mexiko gekommen, doch da sie immer erst um zehn Uhr abends anfing, hatte sie es zur Regel gemacht, ihre Tage am Strand zu verbringen und sich die Haut von der angenehm wärmenden Sonne verwöhnen zu lassen.

Der Mann war ihr bereits am ersten Tag nach ihrer Ankunft begegnet: ein einsamer Jogger, dem ein Krampf oder irgendein anderes Problem zu schaffen gemacht hatte. Er hatte sich vornüber gebeugt, die Hände auf die Knie gestützt und zitternd dagestanden, als ob er sich vor Schmerzen krümmte. Sie hatte geglaubt, dass er tatsächlich furchtbar litt, und war zu ihm geeilt, um ihm zu helfen, sofern sie das konnte.

»Ist alles in Ordnung?«, hatte sie ihn auf Englisch gefragt, um sich mit ihrem gebrochenen Spanisch nicht lächerlich zu machen.

Er sah ihr in die Augen und grinste sie breit an.

»Sie sprechen sogar Englisch!«

Sie brauchte ein paar Sekunden, bis sie merkte, dass er ihr etwas vorgespielt hatte.

»Ich finde das überhaupt nicht lustig!«, schimpfte sie und tat empört. »Ich habe wirklich geglaubt, Sie hätten Schmerzen!«

»Nein, nein! Aber mein Annäherungsversuch war doch recht originell, oder nicht?«

Sein unschuldiges Lächeln war unwiderstehlich; es erinnerte sie an das Grinsen eines kleinen Jungen, den man auf frischer Tat ertappt hatte und der wusste, dass er nichts wirklich Schlimmes oder Unverzeihliches angestellt hatte. Und Brigitte nahm ihm sein kleines Täuschungsmanöver ganz und gar nicht übel … dafür sah er viel zu gut aus. Er war groß und muskulös, ohne jedoch wie ein Bodybuilder auszusehen, und er war tiefbraun gebrannt, was die Schweißperlen auf seiner Haut besonders zur Geltung brachte. Sein Haar war pechschwarz, und er hatte sich nicht rasiert, wie es sich für einen perfekten Urlauber oder einen geübten Anmacher gehörte. Ein Anflug nachmittäglicher Bartstoppeln zierte sein markantes Gesicht, seine intensiven Augen hatten die Farbe des Ozeans. Er strahlte eine unglaubliche Sexualität aus.

»Sie hauen mir doch nicht ab, wenn ich schnell mal ins Wasser springe, oder?«

Sie schüttelte den Kopf. Der Mann zog sein Muskel-Shirt aus und stürzte sich in die warmen Ozeanwellen. Er kraulte mit kräftigen Zügen hinaus aufs Meer, tauchte ein paar Mal unter den schäumenden, sich brechenden Wellen hindurch und kam dann zurück. Brigitte hatte es sich erneut auf ihrem Liegestuhl bequem gemacht.

»Sie sind gestern angekommen, habe ich Recht?«

»Klingt so, als wüssten Sie das bereits.«

»Ja. Ich habe Sie ankommen sehen. Wir wohnen im gleichen Hotel. Bleiben Sie länger?«

»Nein, nur eine Woche. Aber ich mache gar keinen Urlaub. Ich arbeite hier.«

»Dann müssen Sie ja einen tollen Job haben!«

»Den besten, den man sich wünschen kann.«

»Was machen Sie denn beruflich?«

Auf diese Frage hatte sie schon gewartet. Früher oder später kam sie immer. Doch sie hatte nicht die geringste Lust, diesem Adonis ihr wahres Betätigungsfeld zu offenbaren. Wahrscheinlich würde er eine Entschuldigung dahinmurmeln, sich schnell irgendeine Ausrede einfallen lassen und das Weite suchen. So waren sie alle, zumindest die interessanteren Männer. Deshalb beschloss sie, ihm etwas vorzuschwindeln.

»Ich bin Model für einen Modedesigner aus Montreal. Bestimmte auserwählte Kunden können mich für kleine private Modenschauen buchen. Natürlich ist es längst nicht so aufregend oder angesehen, wie bei den Shootings für die großen Modezeitschriften zu modeln, aber es ist ganz angenehm, selbst wenn ich meistens spätabends arbeiten muss. Außerdem ermöglicht mir mein Job, viel zu reisen.«

Das war gar nicht so weit von der Wahrheit entfernt. Sie richtete tatsächlich Shows aus, nur präsentierte sie keine Kleidung, sondern eher das Gegenteil: Brigitte war eine »exotische Tänzerin«. Eine Stripperin – und sie liebte ihre Arbeit. Leider – und das war das Einzige, was sie bedauerte – hatten einige ihrer Kolleginnen ihren Beruf in Verruf gebracht. Allerdings übten ihn nur die Wenigsten unter den gleichen Bedingungen und aus den gleichen Gründen aus wie sie. Brigitte tanzte, weil sie Spaß daran hatte. Natürlich tat sie es auch aus praktischen Gründen – schließlich wurde sie sehr gut bezahlt, ihre Arbeitszeiten waren flexibel, und sie konnte viel reisen. Doch vor allem ermöglichte es ihr dieser Job, sich ihrem drängenden Bedürfnis hinzugeben, ihre Reize einem sie bewundernden Publikum zu präsentieren.

Das erste Mal hatte sie als Studentin getanzt. Anlass war eine Wette gewesen. Sie hatte mit ein paar Freunden eine Striptease-Bar besucht, und die Jungen hatten sie und ihre beiden Freundinnen angestachelt, auf die Bühne zu gehen und sich auszuziehen. Die jungen Männer hatten so danach gelechzt, ihre Kommilitoninnen beim Strippen zu bewundern, dass der Einsatz in Windeseile in die Höhe geschnellt war. Innerhalb weniger Minuten ging es um ziemlich viel Geld, sodass der Reiz für eine mittellose Studentin sehr hoch war. Doch in diesem Moment hatte Brigitte gemerkt, dass es sie auch ohne das Geld mit aller Macht auf die Bühne zog und sie drängte, sich vor ihren Freunden zu präsentieren. Sie schien von einem geheimnisvollen Instinkt getrieben ... Am Ende machten ihre Freundinnen einen Rückzieher und überließen Brigitte das Feld. Also kippte sie ihren Drink herunter und marschierte zur Freude ihrer Kommilitonen mit entschlossener Miene auf die Bühne. Vermutlich hatten sie damit gerechnet, dass sie sich schnell verschämt die Kleider vom Leib reißen und dann sofort wieder von der Bühne stürzen würde – ein Scherz war nun mal ein Scherz. Doch zur großen Überraschung ihrer Begleiter stolzierte sie in aller Seelenruhe mitten auf die Bühne. Die Musik begann, und sie zog sich als Erstes die Schuhe und dann die Bluse aus. Sie kostete das Lied in voller Länge aus und entledigte sich lasziv wie ein Profi eines Teils nach dem anderen. Am Ende stand die splitternackt da.

In diesem Augenblick wurde ihr bewusst, dass sie total in ihrem Element war. Die Blicke der Zuschauer auf ihrem Körper zu spüren, erregte sie ungeheuer. Sie fühlte sich wie von unzähligen Händen gestreichelt und liebkost. Jeder Zentimeter ihrer entblößten Haut schien von den gierigen Blicken ihrer Freunde ganz heiß zu werden.

Die wenigen Minuten ihrer ersten Strip-Nacht hatten sie mehr erregt, als wenn sie es nacheinander mit ihren vier Begleitern getrieben hätte.

Ihre Freundinnen wollten nach der Strip-Nummer leider nichts mehr von ihr wissen. Dafür wollten ihre Kommilitonen alle mit ihr ausgehen, vermutlich weil sie auf eine nette Privat-Show hofften. Doch sie hatte sich schon damals geschworen, sich nie von einem Mann anfassen zu lassen, der ihr beim Strippen zugesehen hatte. Das zerstöre ihre geträumte Illusion, die sie während des Tanzens inspiriere, erklärte sie den Männern. Außerdem hatte sie sowieso keinerlei Verlangen nach mehr Zuwendung. Sie liebte es zu spüren, wie die Männer – und manchmal auch Frauen – sie leidenschaftlich begehrten. All die gebannt auf sie gerichteten gierigen Augen ließen sie vor Lust erbeben, und sie gab sich mit Leib und Seele dem Tanz hin. Sie wusste, wie schön und begehrenswert sie war, und dass die meisten ihrer männlichen Zuschauer alles tun und alles darum geben würden, einmal mit ihr ins Bett zu gehen. Doch für sie bestand der ultimative Kick darin, niemals mit einem Zuschauer eine Nacht zu verbringen! Um weiterhin Freude an ihrer Arbeit zu haben, musste sie für ihr Publikum absolut unerreichbar bleiben. Es musste sie als eine Fantasiegestalt wahrnehmen, als eine Art Fata Morgana. Auf diese Weise konnte sie sich in jede auch nur erdenkliche Frau verwandeln: in eine Königin oder einen Filmstar oder was auch immer. Hauptsache nach dem Motto: »Zusehen erwünscht, berühren verboten!«

Alles in allem war sie mit ihrer Arbeit rundum glücklich. Doch es gab auch eine Kehrseite: Einige Leute wendeten sich entsetzt von ihr ab, wenn sie erfuhren, womit sie ihr Geld verdiente. Sie wollten nichts mehr von ihr wissen, da sie ihren »Beruf« als wenig sinnvoll und gesellschaftlich inakzeptabel erachteten. Vor allem die Frauen und Freundinnen ihrer männlichen Striptease-Show-Besucher verachteten sie regelrecht. Doch das störte Brigitte nicht weiter; schließlich musste sie ihnen nie persönlich gegenübertreten. Um ihre Anonymität zu wahren, arbeitete sie immer so weit wie möglich weg von zu Hause. Alle Angebote in ihrer Nähe schlug sie strikt aus. Im Laufe der Jahre war es ihr gelungen, ihre Arbeit und ihr Privatleben komplett voneinander zu trennen, und so wollte sie es auch beibehalten.

Zum Glück nahm ihr normalerweise jeder ihre kleine Lüge ab, als »Model für einen Modedesigner aus Montreal« zu arbeiten. So war es auch diesmal. Der Mann drängte nicht auf weitere Details.

»Und Sie?«, fragte sie ihn. »Machen Sie hier Urlaub?«

»Ja«, erwiderte er. »Ich fliege in einer Woche zurück nach Montreal. Dann leben Sie also auch dort?«

»Ja … In einem Vorort.«

»Irgendwie habe ich das Gefühl, Sie schon mal irgendwo gesehen zu haben.«

»Montreal ist groß.«

Sie schwiegen eine Weile. Plötzlich schien dem Mann etwas Wichtiges einzufallen. Er sprang auf.

»Bitte entschuldigen Sie, dass ich mich noch nicht vorgestellt habe«, erklärte er beinahe feierlich. »Ich heiße Vincent, bin vierunddreißig Jahre alt und Single. Wenn Sie nichts dagegen haben, würde ich Sie heute Abend gern zum Essen einladen. Um wie viel Uhr fangen Sie denn an zu arbeiten?«

»Nicht vor neun. Wenn Sie also nichts gegen ein frühes Abendessen haben – gern. Ich bin übrigens Brigitte.«

»Kein Problem. Wollen wir uns gegen fünf im Foyer treffen?«

Ihre Unterhaltung hatte wie von selbst einen entspannten, lockeren Tonfall angenommen. Es war unverkennbar, dass sie sich mochten. Brigitte nahm die Einladung freudig an. Vincent war überglücklich und schenkte ihr ein Lächeln, das sie dahinschmelzen ließ.

»Ich laufe jetzt weiter ... und diesmal bleibe ich nicht noch mal stehen. Dann also bis später!«

Sie sah ihm nach und spürte Schmetterlinge im Bauch. Sie mochte ihn, sie mochte ihn sogar sehr.

* * *

Brigitte und Vincent trafen sich zur verabredeten Zeit. Sie trug ihr schönstes weißes Kleid, das ihren goldbraunen Teint besonders betonte. Mit ihrem Haar und Make-up hatte sie sich extra viel Mühe gegeben, schließlich war sie offiziell Model! Vincent schien ihre Mühe zu schätzen zu wissen. Er sprang sofort auf, als er sie sah, und stieß einen leisen Pfiff der Bewunderung aus. Auch er hatte offenbar Wert darauf gelegt, gut auszusehen. Oder war es einfach nur sein natürlicher Charme? Er war glatt rasiert, und verströmte den Hauch eines betörenden Eau de Cologne. Ohne sie zu fragen, welches Restaurant sie bevorzuge, führte er sie zu einem gemieteten Sportwagen, einem schicken Cabrio, das er direkt vor dem Ausgang geparkt hatte.

»Frauen stehen auf solche Flitzer«, stellte er mit einem Augenzwinkern fest.

»So, so. Dann bin ich vermutlich nicht die Erste, die Sie in den vergangenen Wochen in dieser Luxuskutsche herumgefahren haben.«

»Nein, aber definitiv die Schönste!«

Er hielt ihr die Tür auf und schloss sie hinter ihr, als sie Platz genommen hatte. Dann setzte er sich hinters Steuer und fragte sie, ob sie Meeresfrüchte möge. Erst auf ihr begeistertes Ja hin startete er den Motor.

Es war eine unbeschwerte Fahrt. Sie plauderten fröhlich über Gott und die Welt. Schließlich hielten sie vor einem kleinen Restaurant. Es machte einen ziemlich unscheinbaren Eindruck, doch Brigitte kannte den Namen aus den Touristenbroschüren, in denen es in den höchsten Tönen angepriesen wurde. Sie wurden an einen kleinen Tisch auf der fast leeren Terrasse geführt. Da Vincent das Restaurant bereits zu kennen schien, ließ Brigitte ihn bestellen. Er sprach nahezu perfekt Spanisch und bestellte genug für eine ganze Armee.

Während des Essens unterhielten sie sich angeregt und lachten viel. Brigitte konnte nicht umhin, den jungen Mann, der ihr gegenübersaß, zu bewundern. Er war einfach großartig. Und das Beste war, dass er nicht nur gut aussah, sondern zudem auch noch intelligent und witzig war und zu beinahe jedem Thema etwas zu sagen hatte. Er erzählte ihr, dass er eine eigene Agentur für Öffentlichkeitsarbeit betreibe, seinen Urlaub nun schon seit vier Jahren an diesem Ort verbringe und noch nie verheiratet gewesen sei oder eine dauerhafte feste Beziehung gehabt habe. Er suche immer noch nach »der« perfekten Frau fürs Leben …

Der Abend verlief extrem gut, aber er näherte sich viel zu schnell dem Ende. Zum ersten Mal seit langer Zeit hatte Brigitte keine rechte Lust auf ihre Arbeit. Zumindest wäre sie, wenn sie gekonnt hätte, gerne noch ein wenig länger geblieben. Im Grunde wollte sie den verbleibenden Rest des Abends – und vielleicht sogar die ganze Nacht – mit diesem Mann verbringen. Obwohl sie sich gerade erst kennen gelernt hatten, hatte sie das Gefühl, ihn schon seit Jahren zu kennen. Doch dann stellte sie sich die vor Begierde fiebernden Augen ihres Publikums vor, die auf ihrem nackten Körper klebten, während sie tanzte, und wurde von einem Schauer der Erregung erfasst. Sie warf einen diskreten Blick auf ihre Uhr und sah, dass sie bald gehen musste. Doch sie würde sich auf keinen Fall von Vincent mit dem Auto bringen lassen! Schon die kleinste Andeutung über ihre wahre Tätigkeit konnte alles ruinieren.

Vincent wusste, dass sie bald gehen musste, aber es war ihm anzusehen, wie sehr er sich wünschte, dass der Abend nie endete. Er wollte sie unbedingt wiedersehen, am liebsten noch in derselben Nacht.

»Bis wie viel Uhr arbeiten Sie heute Nacht?«, fragte er sie mit sanfter Stimme.

»Oh, es wird spät werden. Mindestens bis zwei. Mein Chef hat einen Raum für einen großen Empfang angemietet, und die Party geht bestimmt bis in die frühen Morgenstunden.«

»Wie schade … Ich hätte gern noch einen Schlummertrunk mit Ihnen genommen.«

»Vor drei Uhr bin ich mit Sicherheit nicht zurück. Tut mir Leid. Ich wäre auch gern noch geblieben. Der Abend war wunderschön …«

»Ich fand ihn auch wunderschön! So einen Abend hatte ich schon lange nicht mehr! Nun gut! Dann bleibt mir wohl nichts anderes übrig, als morgen Abend noch einmal von vorn anzufangen.«

»Wenn Sie wollen, können wir uns auch schon früher sehen. Ich stehe ziemlich zeitig auf …«

»Na, wunderbar! Ich frühstücke immer gegen zehn auf der Terrasse. Und Sie?«

»Ich bin dann morgen auch um zehn da.«

Sie erhoben sich zögernd und gingen zum Ausgang. Er legte sanft seinen Arm um ihre Schultern und führte sie zu seinem Wagen.

»Ich nehme ein Taxi.«

»Das kommt überhaupt nicht in Frage!«

»Doch! Darauf bestehe ich! Ich arbeite am anderen Ende der Stadt. Ich nehme auf jeden Fall ein Taxi!«

»Na gut, aber nur dieses eine Mal.«

Plötzlich zog er sie an sich, und bevor sie sich wehren konnte – wozu sie nicht die geringste Lust verspürte –, küsste er sie mit einer solchen Leidenschaft, dass sie in seinen Armen dahinschmolz. Wie viele Verheißungen dieser Kuss versprach! Sein gestählter Körper machte sie wild, und sein Geruch stieg ihr direkt in den Kopf. Sie löste sich vorsichtig aus seiner Umarmung und flüsterte:

»Ich werde den ganzen Abend an dich denken.«

»Und ich denke die ganze Nacht an dich. So wie jetzt habe ich mich schon seit einer Ewigkeit nicht mehr gefühlt. Ich bin total verrückt nach dir!«

Er berührte sie erneut mit seinen weichen Lippen. Nach einer scheinbar endlosen Umarmung, die sie beide vor Begierde brennen ließ, schafften sie es schließlich, sich voneinander loszureißen. Vincent ging zurück ins Restaurant, bestellte ein Taxi, kam zurück und nahm ihre Hand. Sie warteten schweigend. Als das alte Taxi vorfuhr, half er ihr hinein, küsste sie noch einmal mit feuriger Leidenschaft und sah dem davonbrausenden Wagen mit trauriger Miene nach. Brigitte zermarterte sich während der ganzen Fahrt den Kopf, ob dieser Mann ihr Leben wohl so akzeptieren konnte, wie es war. Er schien sehr empfindsam zu sein und viel Wert auf schöne Dinge und gepflegte Umgangsformen zu legen, und zweifellos liebte er es, zarte Frauenhaut zu verwöhnen … Mit Sicherheit wäre er entsetzt, wenn er erführe, wohin sie fuhr und was sie den Rest des Abends tun würde.

* * *

Sie war ziemlich spät dran und musste sich beeilen, sich für ihre Tanznummer fertig zu machen. Sie musste unentwegt an Vincent denken, an seine weichen Lippen und seine heißen

Küsse. Als sie auf die Bühne ging und loslegte, schwebte sie auf einer Wolke. Die Bar war voll mit Mexikanern, jeder Menge amerikanischer Touristen und etlichen Geschäftsleuten. Es war ein ziemlich elegantes Etablissement, und die Besucher gehörten eindeutig den oberen Gesellschaftsschichten an. Man hatte Brigitte versichert, dass in dem Laden so gut wie nie jemand Ärger machte oder sich daneben benahm, weshalb sie sich vollkommen sicher fühlte. Für ihren ersten Tanz trug sie einen paillettenbesetzten BH, einen dazu passenden Tanga und Stilettos. Ihr graziöser Körper begann im Takt der Musik zu schwingen, und es dauerte nicht lange, bis sie sich in jene Tanzgöttin verwandelt hatte, in die sie sich verwandelte, wenn sie die Bühne betrat, um ihr Publikum zu erregen.

Sie bewegte sich immer mehr wie in Zeitlupe und so anmutig, als wäre ihr Körper einzig und allein dazu da, von den Zuschauern bewundert und begehrt zu werden. Ihr Publikum verfolgte jeden ihrer Schritte wie gebannt, die Männer fixierten sie mit einem lüsternen Funkeln in den Augen. Ihre Gesten zeigten ihr Verlangen, sie zu nehmen und mit Haut und Haar zu verschlingen. Brigittes lange Beine schienen nicht enden zu wollen, ihre gespreizten Schenkel offenbarten ihre fast vollständig rasierte rotblonde Scham. Schließlich entledigte sie sich ihres BHs. Ihr langes Haar umschmeichelte ihren Rücken und kitzelte sie angenehm an den Brüsten.

In ihrem Kopf war sie nur bei Vincent. Sie wollte ihn im Publikum haben, sehnte sich danach, von ihm bewundert zu werden. Für all die Männer, die sie in diesem Moment so gierig anstarrten, war sie nichts als ein Traum. Neben Vincent verblassten sie allesamt zu nichts. Sie stellte sich vor, wie seine Hände über ihren Körper glitten, ihre üppigen Brüste liebkosten und ihre Beine spreizten, um ihre heiße Möse zu erkunden, die sich einzig und allein nur nach ihm verzehrte.

Als sie am Ende der Nummer von der Bühne eilte, fühlte

sie sich, als ob sie soeben aus einem Traum erwachte. Keuchend stürmte sie in die Toilettenräume und konnte nur noch an Vincent denken. Ihr Striptease hatte sie stark erregt. Die unzähligen auf sie gerichteten Augen hatten ihre Lust dermaßen entfacht, dass sie umgehend zwischen ihre Beine fasste und ihre feuchte Muschi rieb. Sie kam innerhalb weniger Sekunden mit einem langen Seufzer.

* * *

Am nächsten Morgen war sie um zehn Uhr auf der Terrasse. Vincent erwartete sie bereits bei einem Glas Orangensaft. Als er sie sah, sprang er auf und strahlte über das ganze Gesicht. Sein Lächeln war unvergleichlich. Brigitte hingegen fühlte sich nicht ganz so frisch. Sie hatte schlecht geschlafen und von Vincent geträumt; er hatte erst neben ihr gelegen, dann auf ihr und schließlich in ihr. Wahrscheinlich hatte sie einen neuen Rekord im Masturbieren aufgestellt. Irgendwann hatte sie sich frustrierter denn je zwingen müssen, endlich aufzuhören. Doch als sie ihn jetzt in all seiner Pracht in der herrlichen Morgensonne dastehen sah, kehrte ihre gute Laune schlagartig zurück. Vincent schien sich Sorgen zu machen, dass sie sich womöglich nicht wohl in ihrer Haut fühlte, nachdem er sich am Abend zuvor mit so inbrünstigen Liebesbekundungen von ihr verabschiedet hatte. Deshalb wollte er seine ernsten Absichten offenbar bestätigen und ließ ihr nicht einmal Zeit, sich zu setzen, sondern nahm sie sofort in die Arme und küsste sie genauso leidenschaftlich wie am Abend zuvor. Am liebsten hätte sie ihm auf der Stelle vorgeschlagen, das Frühstück auf sein Zimmer zu verlegen, doch irgendetwas hinderte sie. Wahrscheinlich war es die Würde, die er ausstrahlte. Jedenfalls machte er ganz und gar nicht den Eindruck, als sei er darauf aus, die Dinge zu überstürzen.

Sie frühstückten ohne viele Worte, doch ihr Lächeln sprach Bände: Sie fühlten sich rundum wohl miteinander. Nach einem ausgiebigen Frühstück zogen sie los zu dem einladenden Strand, wo Vincent voll in seinem Element war. Er machte sie mit allen möglichen Strand- und Wassersportarten bekannt; sie tauchten, segelten, und er zeigte ihr sogar, wie man mit einem Fallschirm absprang. Wie es aussah, schien er für alles Sportliche eine natürliche Begabung zu haben, und Brigitte grübelte, ob das wohl auch für seine Liebeskunst zutraf. Doch Vincent hatte keine Eile. Zur Siesta-Zeit hätte sie ihm am liebsten ein gemeinsames Nickerchen vorgeschlagen, doch sie legte sich auch diesmal Zurückhaltung auf. Warum sollte sie ihn nicht auch ein bisschen zappeln lassen? Wie du mir, so ich dir!

Sie gingen schwimmen und plantschten und bespritzten einander wie kleine Kinder. Gegen drei waren sie erschöpft und wollten schließlich doch ein Nickerchen halten – aber nicht so, wie Brigitte es sich insgeheim gewünscht hatte! Sie gingen jeder auf ihre jeweiligen Zimmer und verabredeten sich für fünf Uhr auf einen Drink und ein anschließendes Abendessen. Vincent war definitiv nicht so leicht rumzukriegen wie die Männer, die Brigitte bisher kennen gelernt hatte. Wie erfrischend!

* * *

Der Alkohol benebelte allmählich ihre Sinne, und ihre neue Bekanntschaft verdrehte ihr zusehends den Kopf. Während Vincent an seinem Drink nippte und redete, musterte sie sein Kinn und seine Zähne und bewunderte die Muskeln, die bei jeder seiner Bewegungen unter seiner sonnengebräunten Haut hervortraten. Er schien das Gleiche bei ihr zu tun. Sie waren vollkommen in ihrer eigenen Welt versunken. Zum

Abendessen bestellten sie sich Hamburger und Pommes, die sie mit einigen Margaritas hinunterspülten. Als es für Brigitte Zeit wurde zu gehen, war sie ziemlich beschwipst, und Vincent war auch nicht mehr ganz nüchtern. Deshalb musste sie ihn nicht lange überreden, sie auch diesmal wieder ein Taxi nehmen zu lassen. Die Fahrt in der schaukelnden altersschwachen Karosse trug nicht gerade dazu bei, ihre benebelten Sinne wieder klar zu machen, doch sie fühlte sich nicht schlecht. In der Nachtbar angekommen, gönnte sie sich noch einen Drink. Dann zog sie sich um.

Als sie auf der Bühne stand, schwebte sie wie auf Wolken, aber nicht allein vom Alkohol. Sie fühlte sich so gut, dass ihr Körper wie von selbst zu tanzen schien; jedenfalls unternahm sie keinerlei Anstrengungen, ihre Muskeln zu bewegen. Alles, was sie wollte, war Vincent. Es würde kein Weg daran vorbeiführen, bald mit ihm über ihre Arbeit zu reden, doch sie war sich inzwischen sicherer denn je, dass die Frau seines Lebens auf keinen Fall einen so anrüchigen Beruf ausüben durfte wie sie. Er machte den Eindruck, als wäre er es gewohnt, immer selbst Herr der Lage zu sein und sich niemals etwas aufzwingen zu lassen. Irgendwie hatte sie das Gefühl, sich diesmal entscheiden zu müssen, was ihr wichtiger war: Vincent oder ihre Arbeit. Doch erst einmal wollte sie den Augenblick genießen und schlug sich ihre grüblerischen Gedanken schnell wieder aus dem Kopf. An diesem Abend wurde sie von etlichen Männern gebeten, an deren Tischen zu tanzen, wofür sie ihr großzügig Scheine zusteckten. Sie tanzte sogar für einige Liebespärchen, denen ihre erotische Darbietung sehr gut zu gefallen schien. Brigitte liebte diese fast privaten Auftritte, denn sie boten ihr Gelegenheit, die Grenzen auszutesten, die sie sich selber gesetzt hatte, und ihnen gefährlich nahe zu kommen. Sie konnte den Leuten in die Augen sehen und über ihre Geheimnisse und Fantasien spekulieren … doch es war eine Einbahnstraße. Ihr eigenes Gesicht blieb immer undurchdringlich, ihr Lächeln immer starr – das Bild einer unnahbaren Göttin. Egal, ob sie an diesem Abend für einen einzelnen Mann tanzte oder an einem Gruppentisch, ihre Gedanken waren bei Vincent. Was hätte sie darum gegeben, ihm diese Seite von ihr zu zeigen! Doch das war leider absolut unmöglich … Sie war bis über beide Ohren in ihn verliebt, und das würde sich auch nicht ändern, sofern er sie in den folgenden Tagen nicht mit irgendetwas furchtbar enttäuschte. Er würde nie verstehen, wie sie so einer Arbeit nachgehen und zugleich ein ganz normales Leben führen konnte, in dem die üblichen »Laster ihres Gewerbes« keinen Platz hatten. Jemandem von »außerhalb« das zu vermitteln, war nahezu unmöglich! Was sollte sie tun? Dieser Mann schien ihr so viel versprechend … Je besser sie ihn kennen lernte, desto mehr erschien er ihr wie der Märchenprinz, auf den sie ihr ganzes Leben lang gewartet hatte. Ob sie tatsächlich endlich jemanden gefunden hatte, für den sie sogar ihre Arbeit aufgeben würde? Dieses herrliche Vergnügen, das ihr so wichtig geworden war? Vielleicht … Sie musste abwarten, wie sich die Dinge weiter entwickelten.

* * *

Als sie in dieser Nacht zurückkam, saß Vincent in einem der Sessel im Foyer und erwartete sie. Die Hotelbar hatte bereits geschlossen. Er sah aus, als ob er döste, doch als er sie durch die große Eingangstür kommen sah, sprang er mit einem Satz auf und schloss sie in seine Arme.

»Ich … ich musste dich noch mal sehen …«

Er drückte fast schmerzvoll seinen Mund auf ihre Lippen und ließ sie gar nicht erst zu Wort kommen. Dann nahm er sie bei der Hand und führte sie zum Fahrstuhl. Während sie warteten, starrte er stur geradeaus, als ob er sich sehr stark auf irgendetwas konzentrierte. Die Fahrstuhltüren glitten mit einem pneumatischen Zischen auf. Er zog sie erneut an sich und schob sie hinein. Sie stand an der Rückwand, und Vincent drückte sich gegen sie. Er streichelte ihr Gesicht und ihr Haar und küsste sie leidenschaftlich. Sein ungestümer Körper drängte sich gegen sie und ließ keinen Zweifel daran, wie sehr er sie wollte. Er ließ seine Hände über ihren Körper gleiten, erkundete jede einzelne ihrer Kurven mit lustvoller Begierde und umarmte sie so heftig mit seinen kräftigen Armen, dass er ihr beinahe ihren Rücken und ihre Brüste zerdrückte.

In der vierten Etage stoppte der Fahrstuhl. Er führte sie ohne ein Wort zu seinem Zimmer, riss hektisch die Tür auf, und im nächsten Augenblick waren sie beide nackt und atemlos. Die Begierde hatte ihnen die Sprache verschlagen. Sie verschwendeten keine Sekunde und warfen sich sofort auf den dicken Plüschteppich. Vincent drang ohne jede Vorwarnung in sie ein. Brigitte war unter ihm wie festgenagelt und konnte kaum Luft holen, doch sie begehrte ihn so sehr, dass ihr alles egal war. Sie umklammerte ihn mit ihren langen Beinen und drängte sich mit aller Kraft gegen ihn, damit er möglichst weit in die feuchten Tiefen ihres Körpers eintauchte. Dann rollte sie ihn herum, sodass sie nun auf ihm war, und nahm selber die Zügel in die Hand. Sie nahm ihn erst mit ihrem unersättlichen Mund und dann mit ihrer eroberungsfreudigen Möse, die ihn immer fester umschloss. Sie küssten sich, als ob sie Jahre darauf gewartet hätten, endlich ihre Zungen und ihren Speichel zu vereinigen und den Mund des anderen beinahe verzweifelt zu erkunden. Seine Stöße waren grob und ungestüm, während ihre Hüften unaufhörlich gegen ihn klatschten und sie ihn im Wechsel hochdrückte und tief in sich hineinsog. Kurz bevor sie explodierten, schnappten sie nach Luft und trennten sich für einen Augenblick, um sich sofort wieder zu vereinen. Schließlich konnten sie sich keine Sekunde länger beherrschen und kamen fast im gleichen Augenblick. Vincent füllte seine Geliebte still vor Entzücken mit seinem heißen Saft.

Sie blieben erschöpft liegen, wo sie waren, bis sie fast wegdämmerten. Dann schleppten sie sich ins Bett, kuschelten sich in die Decken und schliefen sofort selig ein.

Etliche Stunden später wurde Brigitte von einem herrlichen Gefühl geweckt. Eine Zunge zeichnete abstrakte Formen auf ihren Rücken, fuhr dann langsam hinunter und kitzelte zärtlich ihre Pobacken. Gleichzeitig massierte Vincent ihren Kopf und umwickelte seine Finger mit ihrem seidenen Haar. Dann drehte er sie sanft auf den Rücken und liebkoste die Vorderseite ihres Körpers mit seiner Zunge. Er begann an den Ohren, fuhr langsam hinunter zu ihrem Hals, verweilte bei jeder ihrer Brüste und glitt weiter hinab zu ihrem Bauch. Er bedeckte ihre Oberschenkel, Knie, Waden und Füße mit hingehauchten, beinahe verstohlenen Küsschen. Brigitte lag ganz still da und genoss es in vollen Zügen, so herrlich verwöhnt zu werden.

Anders als bei ihrem ersten Liebesakt ein paar Stunden zuvor legte er diesmal große Geduld an den Tag. Er knabberte neckisch an ihr herum und freute sich jedes Mal, wenn sie vor Wonne stöhnte. Schließlich spreizte er mit geübten Händen sanft ihre geschwollenen Schamlippen und legte die empfindlichste Stelle ihres Körpers frei. Er drang mit seiner spitzen Zunge in sie ein und liebkoste ihre von der letzten Vereinigung noch hoch empfindliche Möse. Sie fühlte sich wie im siebten Himmel, ihr Körper und ihr Geist schwebten im Reich der Glückseligkeit. Ihr Körper erwachte wie von tausenden kleiner Funken zum Leben erweckt; sie spürte, wie alles in ihr vibrierte. Dort, wo gerade noch Vincents Zunge gewesen war, drangen jetzt Finger tief in sie ein und ließen sie vor Schmerz und Wonne aufstöhnen. Dann wurde sie erneut von der flinken Zunge liebkost, während die Hand noch tiefer in sie eindrang und ihre empfindliche Stelle noch intensiver stimulierte. Vincent spürte, wie Brigittes Liebeshöhle vor Begierde bebte. Sie war kurz davor zu kommen. Vincent glitt auf sie und drang in sie ein. Er tauchte tief in ihre vor Erregung triefende Möse ein, rieb mit seinen präzisen, rhythmischen Stößen ihre weit geöffneten Lippen und entlockte ihr immer wieder neue Seufzer.

Brigitte hatte das Gefühl, zu zerschmelzen wie ein Eiswürfel in der Sonne. Vincent füllte sie vollkommen aus. Sein riesiger Schwanz stieß immer wieder langsam und tief in sie hinein und drang bis in die entferntesten Zonen ihres Körpers vor. Es fühlte sich an, als ob das harte, pulsierende Organ ein Teil von ihr selbst wäre.

Ihre Atmung wurde immer unregelmäßiger, sie passten ihren Rhythmus einander an. Es war ein ekstatischer Tanz der Begierde. Vincent stützte sich an der Rückenlehne des Bettes ab und bedeutete ihr, sich auf ihn zu setzen. Ihre Brüste berührten seine geöffneten Lippen. Sie schwebte auf ihm und über ihm und gehorchte nur noch dem Mann unter ihren Hüften, der sie mit seinen kräftigen Armen dirigierte, und seiner harten Liebeslatte, die ihr in ihrer vollen Länge den Rhythmus vorgab. Er sah ihr tief in die Augen und fasste erneut mit seiner vorwitzigen Hand zwischen ihre Schenkel. Sie lechzte danach, endlich kommen zu dürfen. Eine kurze Berührung genügte, und Brigitte explodierte vor Wonne. Kurz bevor auch Vincent kam, schnappte er wie ein Ertrinkender nach Luft, und in diesem Moment wusste sie, dass sie sich unsterblich verliebt hatte. Sie wollte ihn nie mehr verlassen. Nie mehr.

* * *

So verbrachten sie den Rest der Woche. Sie liebten sich von morgens bis abends und unterbrachen ihr aufregendes Liebesspiel nur für ein gelegentliches Sonnenbad oder einen Sprung in das herrlich warme Meer. Nach Sonnenuntergang flanierten sie am Strand entlang und hielten Ausschau nach einem geeigneten Ort, an dem sie ihrer Begierde freien Lauf lassen konnten.

An ihrem letzten Abend führte Vincent Brigitte auf eine Klippe, von der aus sie die ganze Bucht überblicken konnten. Sie wollten diesen letzten gemeinsamen Abend zu einem unvergesslichen Erlebnis machen. Langsam zogen sie sich im Mondschein aus und ließen die angenehme Brise ihre nackte Haut umschmeicheln. Wie zum Gebet knieten sie voreinander nieder und liebkosten einander mit äußerster Zärtlichkeit. Sie kamen schweigend. Schließlich legten sie sich unter den Sternenhimmel und liebten sich ein letztes Mal auf mexikanischem Boden. Danach schliefen sie eng umschlungen und glückselig ein und erwachten erst im Morgengrauen.

* * *

Vincent buchte seinen Flug um. Er wollte unbedingt mit Brigitte im gleichen Flugzeug zurückfliegen. Als seine Umbuchung bestätigt war, ging er zu Brigittes Zimmer und klopfte an.

»Können wir mal reden?«

»Natürlich! Worüber du willst!«

Brigitte versuchte, ihn neckisch aufs Bett zu locken.

»Nein, ich meine es ernst.«

Sie glaubte, eine dunkle Wolke am Horizont aufziehen zu sehen, und bekam Angst. Sie setzte sich auf einen der Sessel und hörte aufmerksam zu.

»Ich weiß gar nicht, wie ich es sagen soll, Brigitte … Die vergangene Woche war so wunderschön.«

»Aber ...«

»Aber? Es gibt kein Aber! Ich möchte nur wissen, ob wir nicht auch nach unserer Rückkehr nach Montreal zusammenbleiben können. Ich meine, ich will dich ganz für mich haben. Ich könnte es nicht ertragen, wenn dich ein anderer Mann berühren oder auch nur ansehen würde ... Falls es also bereits jemanden in deinem Leben gibt oder du aus irgendeinem anderen Grund keine Beziehung mit mir möchtest, sag es mir bitte jetzt.«

Brigitte zögerte keine Sekunde und flog in seine Arme. Doch sie war ziemlich aufgewühlt. Sie hatte gedacht, er würde ihr beichten, dass er in Montreal fest liiert war, was sie wohl oder übel hätte akzeptieren müssen. Sie hätte zwar ein paar Tränen vergossen, aber sie hätte keine andere Wahl gehabt.

Zumindest wäre er dann der Böse gewesen – und nicht sie! Wenn sie ehrlich mit sich selbst war, musste sie zugeben, dass sie diesen Mann so anhimmelte, dass sie ihm früher oder später sowieso erklären musste, was für einer Arbeit sie nachging. Doch wie sollte sie dem Mann ihrer Träume klarmachen, dass sie einzig und allein aus Lust und Freude für andere tanzte? Entgegen den Klischees, die über Striptease-Tänzerinnen kursierten, nahm sie weder Drogen noch hatte sie finanzielle Probleme. Sie trat nur zu ihrem eigenen Vergnügen auf; sich vor den Augen anderer auszuziehen und zu tanzen, verlieh ihr ein Gefühl von Macht und Selbstbewusstsein. Doch wie sollte sie dem Mann ihres Lebens nahe bringen, dass sie es brauchte, von den Augen anderer Männer verzehrt zu werden und deren Begierde zu spüren? Sie beschloss, die Offenbarung ihres Geheimnisses zu verschieben. Schließlich hatte sie ihn während der vergangenen Woche gut genug kennen gelernt, um ohne jeden Zweifel davon ausgehen zu können, dass er die Art ihres Broterwerbs nie und nimmer akzeptieren würde. Er wirkte manchmal regelrecht Besitz ergreifend ...

Irgendwann würde schon der richtige Moment kommen – oder es fände sich eine andere Lösung.

* * *

Schießlich verließen sie ihr Hotel und fuhren zum Flughafen. Nachdem die üblichen Formalitäten erledigt waren, bestiegen sie das Flugzeug und machten es sich nebeneinander in ihren Sitzen bequem. Der Start ging glatt über die Bühne, und weil sie einen Direktflug hatten, würde es nach dem Essen einen Film zu sehen geben.

Sie hatten gerade zu Ende gegessen, als Vincent seine ersten Annäherungsversuche machte.

»Ich begehre dich so sehr.«

»Ich dich auch. Lass uns direkt zu mir fahren, wenn wir in Montreal landen. Du musst ja zum Glück erst morgen wieder arbeiten.«

»Du verstehst mich falsch! Ich will dich jetzt, auf der Stelle!«

Er schob seine Hand unter das kleine ausklappbare Tischchen und ließ sie unter ihren Minirock gleiten. Brigitte spürte sofort, wie auch ihre eigene Lust erwachte. Die Hand schlängelte sich in ihren Slip und fand ziemlich schnell, wonach sie gesucht hatte. Brigitte war bereits ganz nass vor Begierde.

Er drang mit dem Finger in sie ein, und es schmerzte ihn beinahe zu spüren, wie bereit sie für ihn war. Diskret nahm er ihre Hand und zeigte ihr, wie es um ihn selbst bestellt war.

»Lass uns in eine der Toiletten verschwinden!«

»Die sind doch viel zu klein! Außerdem werden wir garantiert erwischt. Es ist unmöglich, und das weißt du auch.«

»Nein, ist es nicht! Komm! Ich kann nicht länger warten!«

»Lass uns wenigstens warten, bis der Film anfängt.«

Unter dem Sichtschutz ihrer aufgeklappten Tischchen stimulierten sie einander heftiger. Als die Stewardess kam, um die Tabletts abzuräumen, konnte Vincent gerade noch rechtzeitig die Beule in seiner Hose bedecken und seine unter Brigittes Rock herumfummelnde Hand wegziehen. Um ein Haar wären sie auf frischer Tat ertappt worden.

Kurz darauf gingen die Lichter aus. Vincent stand auf, küsste Brigitte auf die Wange und bat sie, ihm zu folgen. Sie steuerten den hinteren Teil des Flugzeugs an. Zum Glück waren die Toiletten frei. Brigitte ließ Vincent den Vortritt. Nach kurzem Zögern schlug sie ihre Bedenken in den Wind und quetschte sich ebenfalls in die enge kleine Kabine.

* * *

Vincent stand gegen das winzige Waschbecken gelehnt. Er empfing sie mit offenen Armen und schloss die Tür ab. Sie streichelten und küssten einander begierig und entfachten aufs Neue das Feuer der Leidenschaft, das sie in der vergangenen Woche so oft entfacht hatten. Die Kabine war zwar extrem eng, doch sie hatten keinen Grund zu klagen. Schließlich konnten sie sich gar nicht nahe genug sein.

Brigitte zog ihren Rock hoch, tauschte mit Vincent den Platz und setzte sich ein wenig unbeholfen auf die kleine Waschbeckenanrichte. Der Wasserhahn drückte sie schmerzhaft am Po und benetzte sie mit einem Strahl warmen Wassers, doch die Unannehmlichkeit war schnell vergessen. Vincent verlor keine Zeit. Er zog seine Hose runter, packte Brigitte an ihren vorgestreckten Hüften und drang sofort zwischen ihren weit gespreizten Schenkeln in sie ein.

Wie sie befürchtet hatten, klopfte genau in diesem Moment jemand an die Tür.

»Können die Leute denn nicht lesen? Draußen steht doch deutlich sichtbar ›Besetzt‹!«

»Stör dich einfach nicht daran! Es gibt ja noch andere Toiletten.«

»Aber wie sollen wir hier wieder rauskommen? Es sieht doch jeder, was wir gemacht haben.«

»Na und? Meinst du, sie werfen uns zur Strafe aus dem Flugzeug?«

Vincent erstickte ihre Einwände, indem er seinen Mund auf ihre Lippen drückte. Dann trat er ein Stück zurück, kniete sich vor sie und leckte ihr rotblondes feuchtes Gebüsch. Sie hörte sofort auf zu protestieren und ließ sich von seinen sanften Zungenbewegungen hin und her wiegen. Aufgrund der Turbulenzen und der vibrierenden Turbinen wirkten seine Bewegungen ein wenig plump; manchmal gab es einen Ruck, und sein Mund war weg, dann krachte er erneut gegen ihre Vulva. Als er spürte, dass sie bereit für ihn war, richtete er sich auf und drang tief in sie ein. Die konstanten Klappergeräusche in der Toilette dämpften Brigittes leisen Schrei des Entzückens.

Sie umschlang ihn mit ihren Beinen, drängte ihn wild vor Ungeduld in sich hinein und biss in seinen muskulösen Nacken. Sie rutschte so weit wie möglich zum Beckenrand vor und konnte auf diese Weise sogar ihre Füße an der gegenüberliegenden Kabinenwand abstützen. Bei jedem Stoß knallte ihr Kopf gegen die Wand hinter ihr, doch das merkte sie kaum. Sie war im Rausch der Lust, und etwas anderes existierte nicht. Vincent atmete jetzt schneller. Sie kam explosionsartig, und wenige Sekunden nach ihr kam auch Vincent.

Sie hielten sich noch eine Weile in den Armen, dann richteten sie sich langsam wieder auf. Brigittes Wangen waren rosig, und ihre Augen strahlten; sie atmete immer noch stoßweise, und ihr Haar war zerwühlt. Sie beschlossen, dass es das Beste war, die Toilette gemeinsam zu verlassen und mit Unschuldsmienen zurück zu ihren Plätzen zu gehen. Doch als sie die Tür öffneten, stand vor ihnen eine ältere Dame, die sie voller Verachtung taxierte. Zwei junge Männer hingegen, die in der letzten Reihe vor der Toilettenwand saßen, reckten ihnen ihre aufgerichteten Daumen entgegen.

Brigitte wurde vor Wut und Scham knallrot, Vincent grinste nur.

* * *

Die verbleibende Flugzeit verging ohne besondere Vorkommnisse. In Montreal verbrachten sie zuerst ein paar Tage in Brigittes Apartment und dann in Vincents. Sie konnten einfach nicht genug voneinander bekommen. Doch gegen Ende der Woche, kurz bevor Brigitte wieder arbeiten musste, rückte die Stunde der Wahrheit unweigerlich näher. Sie wusste, dass sie Vincent endlich sagen musste, was sie machte und warum. Drei ganze Tage grübelte sie ohne Unterlass, wie er wohl reagieren würde. Sie hatte eine wahnsinnige Angst, dass ihr Geständnis ihre Beziehung zerstören würde, weshalb sie das klärende Gespräch immer wieder vor sich herschob. Schließlich beschloss sie, es ihm am nächsten Abend zu berichten, dem Abend, bevor sie wieder tanzen würde.

Vincent war nicht zu Hause, sodass sie sich den ganzen Tag auf den entscheidenden Abend vorbereiten konnte. Sie wollte, dass alles stimmte: Es sollte ein leckeres Essen geben, dazu Champagner und leise Musik … Zuerst wollte sie ihm sagen, wie wichtig er ihr war. Dann würde sie ihm gestehen, dass sie nicht ganz ehrlich zu ihm gewesen sei und wie sehr sie das belaste. Sie würde ihm erklären, dass sie gern eine feste monogame Beziehung mit ihm hätte, und dazu gehöre für sie nun einmal so viel Ehrlichkeit wie nur irgend möglich. *Voilà.* Wie sollte er ihr ihre Verheimlichung übel nehmen, wenn sie es so darstellte?

Als Nächstes wollte sie ihm klarmachen, dass der Job, den sie seit Jahren ausübte, sie sehr glücklich mache, dass sie jedoch bereit sei, ihn aufzugeben, falls er, Vincent, sich nicht damit abfinden könne. Dieser letzte Part schmerzte sie zwar, doch sie musste realistisch sein: Eine Zukunft mit ihm schien ihr so viel versprechend, dass sie tatsächlich bereit war, ihre Arbeit für ihn an den Nagel zu hängen. Wenn er sie unbedingt in einem anderen Job sehen wollte, würde er ihr sicher genug Zeit geben, etwas zu finden, das ihr ebenso viel Spaß machte. Und selbst wenn sie noch einmal die Schulbank drücken müsste – sei's drum! Finanziell schien er mehr als gut dazustehen, von daher sollte es also keine Probleme geben.

Vincent würde sich bestimmt freuen, dass sie ihm bedingungslos vertraute und ihm alles erzählte. Aber warum war ihr dann vor Angst beinahe schlecht? Weil sie es nicht zum ersten Mal erlebte, dass Leute, die sie mochte und schätzte, sie mit Verachtung straften, wenn sie erfuhren, womit sie ihren Lebensunterhalt verdiente. Eine ähnliche Reaktion von Vincent würde sie nicht ertragen. Alles, aber nicht das! Sie versuchte, sich einzureden, dass er sie ganz bestimmt nicht wegen ihres Jobs ablehnen würde. Schließlich war er aufgeschlossen und kein Puritaner! Trotzdem rang sie mit sich und war total aufgewühlt. Von allen möglichen Reaktionen war diese eine die schlimmste. Mit einer Trennung würde sie irgendwie fertig werden, und ihren Beruf würde sie auch wechseln – aber erleben zu müssen, dass der Mann ihrer Träume auf sie herabsah und sie verachtete, das wäre ein wirkliches Verhängnis.

Aber wie auch immer. Jetzt gab es kein Zurück mehr. Vincent musste jeden Augenblick da sein. Sie ging in der Wohnung auf und ab, wie eine Löwin im Käfig; auf dem Teppich war schon eine Spur zu sehen. Ausgerechnet heute verspätete er sich und ließ sie warten! Dabei hatte sie ihm klar und deutlich zu verstehen gegeben, dass sie ihm an diesem Abend etwas Wichtiges sagen wollte … Wieso, zum Teufel, war er also noch nicht da?

Um sich zu beruhigen, schaltete sie den Fernseher ein und sah sich die Sechs-Uhr-Nachrichten an. Der Nachrichtensprecher las gerade die Schlagzeilen vor.

»Bewaffneter Überfall in einer Filiale der Royal Bank … Groß angelegte Drogenrazzia auf dem Flughafen Toronto … Nach dreimonatiger Suche Festnahme eines Verdächtigen durch die Polizei von Montreal …«

Bei den ersten beiden Berichten sah Brigitte nur mit einem Auge hin, doch der dritte ließ ihr das Herz bis zum Hals schlagen. Auf dem Bildschirm erschien Vincents Foto.

»Nach einer mehr als drei Monate andauernden Intensivfahndung in Mexiko und Kanada hat die Polizei heute den vierunddreißigjährigen Vincent Logan festgenommen«, verkündete der Nachrichtensprecher. »Der Angeklagte muss sich wegen Zuhälterei und Betreiben eines Bordells vor Gericht verantworten. Die Polizei hat ihn vergangene Woche auf dem Montrealer Flughafen Mirabel aufgespürt …«

Brigitte glaubte ihren Ohren nicht zu trauen. »Und ich habe mir eingebildet, mit meinem kleinen Geheimnis alles zu zerstören!«

Wenn unsere Freunde uns im Stich lassen

Es war ein normaler Wochentag, und die Kneipe war fast leer. Ich war seit Tagen in der Stadt und kannte niemanden, nicht eine Menschenseele, mit der ich mein neues Glück hätte teilen können. Dabei war mir absolut danach, mir einen ordentlichen Drink zu gönnen und mit jemandem anzustoßen! Seit dem Tag vor meiner Abreise schwebte ich im siebten Himmel. Ich begann gerade zu kapieren, dass man offenbar manchmal harte Zeiten durchmachen muss, damit man die schönen Seiten des Lebens wieder richtig würdigen kann ... Ich ließ mich an der massiven Eichentheke auf einem bequemen Barhocker nieder, stützte meine Ellbogen auf und wartete geduldig darauf, dass mich der sympathisch aussehende Barkeeper beachtete. Er strapazierte meine Geduld nicht lange, und als er mir einen Scotch brachte, registrierte er mein strahlendes Gesicht und stellte fest, dass es ja mal eine nette Abwechslung sei, einen so glücklichen Gast zu bedienen. Warum ich so guter Dinge sei, wollte er wissen. Ich fragte ihn, wie viel Zeit er habe. Er sah sich ein wenig hoffnungslos in der verwaisten Bar um.

»Die ganze Nacht«, erwiderte er schließlich.

Da konnte ich nicht widerstehen und kam sofort zur Sache.

»Bis letzten Mittwoch habe ich genau acht Monate gelitten. Exakt zweihundertzweiundfünfzig Tage, zweihundertzweiundfünfzig Morgende, Nachmittage, Abende und Nächte. Acht Monate und ein paar Tage voller Sorgen und Not, ständig begleitet von einem Gefühl der Unwirklichkeit und einer totalen Leere. Sechsunddreißig Wochen Qual und Existenzkrise. Warum, wollen Sie wissen? Weil mein bester Freund mich im Stich gelassen hat. Er war mein bester Freund, solange ich zurückdenken kann. Während meiner Jugend- und Erwachsenenjahre habe ich die glücklichsten Augenblicke meines Lebens mit ihm verbracht. Er war mein Freund, mein Bruder, man kann beinahe sagen mein Mentor. Er war derjenige, der mich mit Freuden bekannt gemacht hat, die ich gar nicht in Worte zu fassen vermag, und der es mir erlaubt hat, diese so intensiv auszukosten wie nur irgend möglich. Er war meine moralische Stütze, derjenige, auf den ich mich in harten Zeiten immer verlassen konnte, so wie auch er sich immer auf mich verlassen konnte. Genau genommen betrachtete er meine Loyalität als so selbstverständlich, dass er mich zu seinem Spielzeug machte, zu seinem willfährigen Sklaven. Ohne ihn war ich nichts, wertlos. Manchmal fragte ich mich sogar, ob ich ohne ihn überhaupt wirklich existierte …«

»Ist Ihr Freund weggezogen?«

»Weggezogen? Aber nein! Ganz und gar nicht! Ich rede von *ihm*, müssen Sie wissen … Dem Ding, das seit meiner Geburt zwischen meinen Beinen baumelt und mich seit meinem fünfzehnten Geburtstag kontrolliert und steuert. Mein Pimmel. Mein Schniedel. Mein Schwanz. Mein Bajonett.

Mein kleiner Mann wollte sich eines Tages einfach nicht mehr aufrichten. Ich hatte alles versucht … Ich kannte ihn ja schon seit einer ganzen Weile, daher wusste ich ziemlich genau, was ihn ankurbeln konnte. Doch selbst die schlüpfrigsten, pikantesten Situationen ließen ihn absolut kalt. Er hing nur noch vollkommen schlaff da; er wagte nicht einmal mehr, mir ins Gesicht zu sehen. Ich redete mit ihm, ich schmeichelte ihm, ich kitzelte ihn ... alles vergebens! Ich versuchte sogar, mein Gehirn zu stimulieren, das doch angeblich – obwohl ich es nicht glauben kann – den Sexualtrieb kontrollieren und die richtige Botschaft an unseren kleinen Freund da unten aussenden soll ... Auch das brachte nichts.«

»O je! Das tut mir wirklich Leid.«

Der Barkeeper setzte eine Trauermiene auf. Er schien betroffener, als wenn ich ihm erzählt hätte, dass einer meiner realen Freunde vor kurzem gestorben sei. Vor Entsetzen schaudernd fragte er mich:

»Und das ist einfach so passiert? Wie aus heiterem Himmel? Ohne Vorwarnung? Oder hatten Sie vorher schon mal Probleme dieser Art?«

»Es passierte von heute auf morgen und zum ersten Mal in meinem Leben. Ich wünsche niemandem, die gleiche Erfahrung machen zu müssen! Wenn Sie wollen, erzähle ich weiter ...«

»Ja, gern. Über so etwas habe ich mir selber zwar noch nie Gedanken gemacht, aber es interessiert mich trotzdem. Man kann ja nie wissen! Wer weiß, was einen noch erwartet.«

»Da haben Sie wohl Recht! Ich selber hätte mir bestimmt auch nichts dabei gedacht, wenn vorher jemand mit mir über dieses Thema gesprochen hätte ... Aber ich wollte Ihnen ja die ganze Geschichte erzählen. Wo fange ich bloß an? Am besten erzähle ich Ihnen erst einmal ein bisschen über mich und wie viel mir dieses wunderbare Organ bedeutete, bevor es beschloss – oder war es einfach grausames Schicksal? –, mir diesen üblen Streich zu spielen. Ich war zwei Jahre mit einer umwerfenden Frau zusammen – bis sie vor einiger Zeit Schluss gemacht hat. Sie ist drei Jahre älter als ich und sehr verständnisvoll, allerdings auch nur bis zu einem gewissen Punkt. Sie ist ein richtiger Knaller, jedenfalls für meinen Geschmack. Diese Frau war für mich die Erste, mit der ich eine so genannte feste

Beziehung hatte. Ich habe zwei ganze Jahre mit keiner anderen Frau geschlafen, und sie hat mit keinem anderen Mann angebändelt, jedenfalls soweit ich weiß. Ich hatte noch nie so sehr das Gefühl zu wissen, was wahre Liebe ist. Vor ihr hatte ich natürlich schon ausgiebig die vielfältigen Reize erforscht, die das weibliche Geschlecht zu bieten hat – in allen nur erdenklichen Facetten und Varianten. Ich denke, ich kann behaupten, alles ausprobiert zu haben. Ich habe es mit jeder Menge Frauen getrieben, und zwar mit den unterschiedlichsten Frauentypen.«

Nach meinem letzten Satz sah der Mann, der meinen Bericht bisher mit einem gelegentlichen verständnisvollen Nicken begleitet hatte, voller Hochachtung zu mir auf.

»Wissen Sie, ich verehre die Spezies Frau. Ich mag sowohl blonde als auch brünette, rothaarige oder ergraute. Sie können groß, klein, schlank oder pummelig sein – alle Frauen bergen ein Geheimnis, das der Mann ans Licht zu bringen versuchen sollte. Dazu bedarf es natürlich eines Fünkchens Glück und Verstand.«

»Da kann ich Ihnen nur zustimmen. Und sagen Sie – haben Sie ein paar interessante Geheimnisse gelüftet, die Sie mir verraten wollen?«

»Es würde Stunden dauern, Ihnen all die Geschichten zu erzählen! Aber die beste war wohl … Nein, warten Sie! Jetzt weiß ich, welche ich Ihnen anvertraue. Vor einiger Zeit wurde ich von den Händen zweier hübscher Orientalinnen massiert. Ich spreche von ›Händen‹, aber in Wahrheit massierten sie mich mit dem ganzen Körper … Versuchen Sie sich die Situation vorzustellen. Als Erstes haben Sie mich mit Mandelöl beträufelt, und dann sind sie wie zwei Aale an meinem Körper entlanggeglitten, eine vorne und die andere hinten. Ich spürte überall Hände – zwischen meinen Pobacken, auf meinem Schwanz, um meine Taille, in meinem Haar –, und ihre

Zungen haben jeden einzelnen Winkel von mir erkundet. Es war einfach göttlich … Können Sie das nachempfinden? Es war, als ob sie darum wetteiferten, wer mir die meiste Freude bereitete. Sie waren beide extrem zierlich und feinfühlig. Welche von beiden ich auch immer gerade zu fassen kriegte, habe ich geleckt und befummelt, was das Zeug hielt, und dann bin ich in sie eingedrungen, erst in die eine, dann in die andere. Sie waren so eng, dass sie meinen Schwanz beinahe zerquetscht hätten, aber das war bestimmt kein Grund zur Klage! Während ich die eine vögelte, besorgte ich es der anderen mit den Händen. Dann tauschten sie die Plätze. Ich hatte kaum Zeit, der einen, die ich gerade bestiegen hatte, ins Gesicht zu sehen, da hatte auch schon die andere ihren Platz eingenommen. Und als ich kurz davor war zu kommen, hockte sich die eine über meinen Mund und zwang mich, sie ungestüm zu lecken, während die andere mich sanft massierte, damit ich wieder zu Kräften kam und noch ein bisschen länger aushalten konnte. Als Letzere schließlich meinte, es wäre an der Zeit, mich zu erlösen, lutschte und saugte sie wie wild an mir. Dann begann das Spiel aufs Neue. Ich wusste kaum, von wessen Mund oder Möse mein Schwanz gerade verwöhnt wurde … Woher ich auf einmal diese Ausdauer hatte, weiß ich auch nicht, aber unser Liebesspiel dauerte Stunden. Was für eine süße Erinnerung! Was für unglaubliche Sinnesfreuden! Anschließend roch meine Haut wochenlang nach Mandelöl …«

Der Barkeeper stieß einen leisen Pfiff der Bewunderung aus und murmelte: »Vielleicht habe ich zu früh geheiratet … Können Sie mir noch eine Geschichte erzählen?«

»Aber ja. In meiner Glanz- und Blütezeit …«

Ich hielt ein paar Sekunden inne und versuchte, mich zu erinnern. Plötzlich fiel mir Simone ein.

»Nie werde ich Simone vergessen. Die harte, gemeine Simone. Sie hat mich mitgenommen in ihr Verlies, in dem uns ein armes nacktes, gefesseltes und geknebeltes Mädchen erwartete. Simone war ausstaffiert wie eine echte Domina; in der Hand hielt sie eine Peitsche. Mich hat sie ebenfalls in Ketten gelegt. Zunächst verschaffte sie sich Befriedigung, indem sie erst mit ihrer Hand und dann mit dem Peitschenstiel in das arme Mädchen eindrang. Es faszinierte mich zuzusehen, wie die Peitsche in dem Mädchen verschwand und wie sehr Simone das erregte. Sie ließ das Mädchen auf diese Weise mehrmals kommen, während ich tausend Qualen litt. Dann löste Simone meine Fesseln und befahl mir, das Mädchen zu vögeln. Sie selber besorgte es sich unterdessen mit der Hand. Wie hätte ich mich dem widersetzen sollen! Ich folgte ihrem Befehl ohne Widerworte. Das arme Mädchen war total nass. Ich drang mit harten Stößen in sie ein, so, wie Simone es von mir verlangt hatte, und ritt sie wie ein Besessener. Dabei sah ich zu, wie meine Gebieterin es sich selbst besorgte. Zwischen Peitschenschlägen rieb sie sich wie von Sinnen ihre rasierte Möse. Gelegentlich belohnte sie auch mich mit ein paar wohl platzierten Schlägen, die aber nicht besonders schmerzhaft waren… Das Opfer war übrigens absolut hinreißend. Das Mädchen war total passiv und ertrug seine Bestrafung ohne das leiseste Wehklagen, selbst wenn Simone mich zwang, auf jede auch nur erdenkliche Weise und in jede auch nur denkbare Öffnung einzudringen. Sich Simone zu widersetzen, war unmöglich! Als sie das Gefühl hatte, dass das Mädchen genug gelitten hatte, befahl sie mir, es ihr selber mit dem Stiel der Peitsche zu besorgen. Ich gehorchte ihr aufs Wort, wohl wissend, dass sie absolut unberechenbar war. Als sie von ihrem Lustinstrument genug hatte, wollte sie, dass ich in sie eindrang. Ich war noch ganz feucht und glitschig vom Liebessaft des Mädchens, das mein Weggehen übrigens zu bedauern schien und mich mit sehnsüchtigem Blick anflehte, bei ihm zu bleiben. Simone hatte Mitleid mit dem Mädchen und ging zu ihm und erlaubte ihm, ihre Brüste zu streicheln und sie zu küssen, während ich zuerst mit dem Peitschenstiel und dann mit meinem hochgestimmten Schwanz in sie eindrang. Plötzlich war Simone das Opfer ...«

»Das gibt's doch gar nicht!«

»Doch! Genauso war es! Ich spüre die Peitsche noch immer auf meinem Rücken ...«

»Wo wohnt diese Simone?«

»Ich kann Ihnen ihre Telefonnummer geben. Aber ich garantiere für nichts.«

Der Barkeeper musterte mich voller Ehrfurcht. Er schien mich nicht nur zu bewundern, sondern auch zu beneiden. Ich erzählte weiter.

»Das hätte ich beinahe vergessen! Einmal habe ich mich auf einem Wasserbett gelümmelt. Mein Schwanz war eingekeilt zwischen zwei riesigen Brüsten ... Sie waren wirklich gigantisch! Während der Lebensgefährte meiner Gespielin sie gnadenlos von hinten gevögelt hat, hat sie mich geleckt oder ihre enormen Titten an meiner Latte gerieben. Sie hat sie aneinander gepresst und mich in einem Tunnel aus samtweichem Fleisch gefangen genommen. Ich kam mit einer Wahnsinnsfontäne und benetzte ihr ganzes Gesicht ...«

»Okay, das reicht! Ich glaube Ihnen ja! Mehr will ich gar nicht hören! Das ist ja kaum noch auszuhalten!«

»Schon gut, schon gut. Ich habe keine von diesen Frauen je wieder gesehen. Ich wollte Ihnen nur vor Augen führen, dass mein Schwanz nie besonders schüchtern oder zurückhaltend war. Im Gegenteil! Er hatte alles Glück, Dinge zu erleben, von denen andere Männer nur träumen.«

»Das glaube ich Ihnen aufs Wort.«

»Wie dem auch sei ... Ich wollte Ihnen meine Geschichte erzählen. Mein Interesse an Sex erwachte, als ich etwa acht

Jahre alt war; das ist wohl bei den meisten Jungen so. Meine Lehrerin in der zweiten Klasse war groß, rothaarig und trug eine Brille. Sie hatte immer sehr kurze Röcke an. Ihre nicht zu enden scheinenden Beine entfachten die Fantasie sämtlicher Jungen meiner Klasse. An meine erste Erektion erinnere ich mich nicht mehr genau, aber meine erste Ejakulation hat sich für immer mit aller Schärfe in mein Gedächtnis eingebrannt. Es war ein Sonntagnachmittag, und ich beobachtete zufällig, wie meine achtzehnjährige Schwester sich anzog. Sie stand splitternackt vor dem Spiegel und berührte ziemlich unbekümmert eine ihrer Brüste. Mein Pimmel wurde riesig. Als meine Schwester dann auch noch ihre Beine spreizte und sich weiter unten anfasste, war es um mich geschehen. Ich spürte, dass meine Hose plötzlich nass und klebrig war. Von dem Tag an war mein Leben um eine Dimension reicher. Ich war geschlechtsreif – na ja, das ist vielleicht ein bisschen übertrieben! Der Richtigkeit halber sollte ich vielleicht lieber sagen, meine Organe waren reif …«

Mein neuer Freund zwinkerte mir verschwörerisch zu.

»Von dem Tag an tat ich das Gleiche wie alle pubertären Jungen: Ich regte meine Fantasie mit unschuldigen kleinen Tricks an. So lugte ich zum Beispiel unter die Kleider unserer kleinen Freundinnen, oder ich beobachtete die Nachbarin beim Ausziehen. Nichts Besonderes, nichts Originelles, doch einem frührefen Teenager öffnen solche Erlebnisse die Tür zu einer ganz anderen Welt.

Aber zurück zu der Frau, mit der ich bis vor kurzem mein Leben geteilt habe: Eve. Mit ihr begann mein Leiden, allerdings glaube ich nicht, dass es an ihr lag. Beim ersten Mal hatte ich nicht einmal das Gefühl, mir Sorgen machen zu müssen. Wir hatten ein bisschen zu viel getrunken … Also hatte ich eine gute Entschuldigung. Im Morgengrauen wollte ich nachholen, was in der Nacht nicht mehr geklappt hatte, und streichelte den neben mir liegenden warmen Körper. Normalerweise habe ich morgens immer eine Latte, die nach sofortiger Erlösung drängt, doch an jenem Morgen war es anders. Das hätte mir eine Warnung sein sollen. Doch ich redete mir ein, dass die kleinste Reaktion von Eve sicher ausreichen würde, meine müde Männlichkeit zu neuem Leben zu erwecken und in Aktion treten zu lassen. Aber leider … Sie wachte auf, streckte und räkelte sich wie eine Katze, leckte sich mit einem bezaubernden Lächeln die Lippen, doch mein kleiner Mann regte sich nicht. Zu meinem Kummer gab er kein Lebenszeichen von sich; er verharrte im Tiefschlaf. Ich war fassungslos! Was ging da unten vor? Abgesehen von meinem schlaffen Schwanz war ich ziemlich erregt … Mein Hirn war zwar noch nicht hundertprozentig wach, doch es hätte längst die entsprechenden Signale aussenden müssen … Aber es passierte nichts. Eve betrachtete meinen Durchhänger und war verblüfft. Verständlicherweise, denn so etwas hatte sie bei mir noch nie erlebt! Sie lächelte mich liebevoll an, beugte sich über mich und bedeckte zuerst meinen Hals und dann meine Brustwarzen, meine Rippen und meine Leistengegend mit zarten Küssen und Zungenschlägen. ›Huch!‹, entfuhr es mir. Für einen Augenblick bekam ich es beinahe mit der Angst zu tun, doch dann gab ich mich der beruhigenden Gewissheit hin, dass die vertraute Fellatio-Behandlung schon alles wieder richten würde. Eves Mund umschloss meinen Schwanz und sog ihn komplett ein. Ich schloss die Augen und ließ mich verwöhnen. Nach ein paar Sekunden hob Eve ihren verwuschelten Kopf und starrte mich an. Sie wollte wissen, was mit mir los sei. Besorgt wirkte sie nicht gerade, eher verärgert. Ich versicherte ihr mit Nachdruck, dass alles in Ordnung sei, doch sie stand auf und ging duschen.

Ich war schockiert. Um die frustrierende Schlaffheit, die mich zwischen den Beinen erfasst hatte, endlich zu besiegen, versuchte ich, mir ihren Körper unter dem Wasserstrahl vorzustellen, ihre eingeseifte, glitschige, samtene Haut. Das sollte eigentlich Wunder bewirken … Ich erwog, mich zu ihr zu gesellen, sie zwischen den Beinen einzuschäumen und sie heftig von hinten zu nehmen. Normalerweise erweckte diese Vorstellung fast immer den Krieger in mir, doch diesmal passierte nichts.

Als ich hörte, dass Eve den Hahn zudrehte, stellte ich mich schlafend, beobachtete aber verstohlen, wie sie nackt, nass und dampfend durch den Raum schritt. Sie zog sich ganz langsam an, erst den BH, dann ein dazu passendes Höschen, Seidenstrümpfe, Rock, Bluse und zum Schluss die Schuhe … Normalerweise trieb mich das in den Wahnsinn. Der Anblick von Eve in ihrer Bürokleidung hatte meinen Schwanz noch immer zum Stehen gebracht und in meiner Hose eine dicke Beule verursacht. Doch nicht an diesem Morgen. Es war einfach nichts zu machen. Als Eve gegangen war, griff ich grob nach dem kleinen Verräter, zwang ihn, mir in die Augen zu sehen, und schimpfte mit ihm. Der Vorfall gab mir zu denken. Ich war vollkommen geplättet und fühlte mich leer und ausgelaugt. Das können Sie doch sicher nachempfinden, oder? Trotzdem nahm ich die Geschichte nicht übermäßig ernst. Ich redete mir ein, es sei eine einmalige Sache gewesen und würde nie wieder passieren.«

»Aber es kam anders?«

»O ja! Sonst wäre es ja kein Drama gewesen … Ein paar Tage später waren Eve und ich mit Freunden verabredet und machten uns ausgehfertig. Ich hatte sie ein paar Nächte lang nicht angerührt, so große Angst hatte ich vor einem erneuten peinlichen Versagen. Doch in dieser Nacht war ich fest entschlossen, wieder Normalität in unser Leben einkehren zu lassen, und auch mein kleiner Gefährte gab mir deutlich zu erkennen, dass er der gleichen Meinung war. Ich sah Eve lustvoll beim Anziehen zu und registrierte, dass sie unter ihrem Minirock kein Höschen trug. Als sie in ihre hochhackigen Sandaletten schlüpfte, hatte ich schon keine Lust mehr, das Haus zu verlassen, doch sie überzeugte mich, mich noch ein bisschen zu gedulden.

In dieser Stimmung machten wir uns auf den Weg. Ich konnte den ganzen Abend an nichts anderes denken als an ihre unter dem Rock entblößte Möse. Unzählige Male versuchte ich, ihr unter dem Tisch meine Hand zwischen die Beine zu schieben. Eve ließ mich immer eine Weile gewähren, doch an einem gewissen Punkt presste sie die Schenkel zusammen und schob meine Hand zurück. Einmal gelang es mir jedoch, bis zu ihrer empfindlichsten Stelle vorzudringen und ihre köstliche Nässe auf meinen Fingern zu spüren.

Zu meiner großen Freude rührte sich endlich etwas in meinem Schritt. Offenbar war mein schläfriger Schwanz von der kleinen Fummelei zu neuem Leben erwacht. Können Sie sich vorstellen, wie erleichtert ich war? Ich wollte Eve sofort zeigen, was passiert war, nahm ihre Hand und führte sie über mein Hosenbein zu meinem Schoß. Doch was für ein Pech! Genau in dem Augenblick, als ihre Hand auf meiner Männlichkeit lag, machte es ... pffft! Wie wenn man bei einem Luftballon die Luft rauslässt. Doch offenbar hatte sie die letzten Regungen meiner Erektion noch gespürt, denn sie lächelte mich an und bedeutete mir, dass sie bald gehen wolle. Doch der Abend wollte kein Ende nehmen. Die Gespräche waren mehr oder weniger interessant, die Witze mehr oder weniger lustig, doch irgendwie raffte sich keiner auf, sodass wir noch Stunden später an diesem dämlichen Tisch hockten. Ich verlor allmählich die Geduld und langweilte mich. Ich musste mich so zusammenreißen, ein Gähnen zu unterdrücken, dass ich Eves Rock und was sich darunter befand, schon beinahe vergessen hatte. Als wir dann endlich gingen, war mir nur noch nach Schlafen zumute. Doch meine Freundin hatte anderes mit mir vor. Kaum waren wir in der Tür, da zog sie mich an sich und küsste mich gierig. Schlaf? Wer brauchte denn Schlaf? Sie führte mich ins Schlafzimmer, drückte sich an mich und massierte meine Pobacken und meinen Rücken. Dann drängte sie ungeduldig ihren Oberschenkel zwischen meine Schenkel. Als ihre Hand von meinem Bauch zu meinem Schritt hinunterglitt und nichts passierte, meinte sie, wir müssten einfach mal etwas anderes ausprobieren.

Wir zündeten die beiden Kerzen auf unseren Nachttischen an und stellten das Radio an. Dann bedeutete sie mir, mich aufs Bett zu legen. Sie stieg ebenfalls aufs Bett und begann, über mir zu tanzen. Langsam öffnete sie ihre Bluse, griff nach ihren Brüsten, befreite sie aus dem einengenden BH, streichelte sie und schaffte es mit einer nackenakrobatischen Übung sogar, sie zu lecken. Dann ging sie etwas ungestümer zu Werke und brachte ihre dunklen Nippel zum Stehen. Sie schienen mir förmlich in die Augen zu sehen und darauf zu warten, dass ich sie berührte. Als Nächstes zog sie ihren Rock hoch und spreizte ihre Beine, sodass ich aus meiner Liegeposition ihre glänzende Möse bewundern und den süßen Duft riechen konnte, den sie verströmte.

Sie zog die Schuhe aus und spreizte die Beine noch mehr. Dann ließ sie ihre Hand zwischen ihre Schenkel gleiten und machte da weiter, wo sie mich ein paar Stunden zuvor unterbrochen hatte. Ich lag reglos da und genoss die Show. Sie kam noch ein bisschen näher, stellte einen Fuß auf meine Brust und den anderen aufs Kissen. Ihre Möse schwebte direkt über meinem Gesicht, sodass ich jedes einzelne Fältchen sehen konnte, doch sie war zu weit weg, als dass ich sie hätte berühren können. Sie hatte mich zwischen ihren Beinen eingekeilt, und genau das war ihre Absicht!

Ich beobachtete fasziniert, wie ihr Finger in ihrer Spalte verschwand und nass und glänzend wieder hervorkam. Voller Ungeduld wartete ich, dass ein Tropfen von ihrem Saft auf meinem Gesicht landete, damit ich ihn endlich kosten konnte, doch sie spannte mich auf die Folter. Ihr Finger wurde immer schneller und massierte ihre pulsierende Muschi immer inbrünstiger. Ich spürte, dass sie bereit war zu kommen, doch anstatt es geschehen zu lassen, richtete sie sich auf, ging kurz weg und kam mit einem ovalen Glaskolben mit abgerundetem Ende zurück.

Sie stellte sich wieder über mein Gesicht und führte den Kolben in sich hinein. Er flutschte problemlos hinein, als ob er speziell für sie angefertigt worden wäre. Ich kannte sie gut genug, um zu wissen, was sie wollte, griff nach ihrem Hügel und tastete nach dem winzigen Höcker, bei dessen Berührung sie vor Wonne aufschreien würde.

Während sie den Kolben mit immer schnelleren Stößen und immer tiefer in sich eindringen ließ, fand mein Finger schließlich ihre empfindlichste Stelle und rieb sie sanft. Eve keuchte; sie war kurz davor zu kommen. Ich lechzte danach, den Glaskolben durch meinen Schwanz zu ersetzen, und sah sie schmachtend an, doch sie ließ mich nicht ran. Stattdessen ließ sie ihr Becken kreisen, um die Bewegungen meines Fingers zu beschleunigen, und schließlich kam sie und benetzte mein Gesicht mit dem Saft ihrer Lust.«

»Ich werde schon vom bloßen Zuhören scharf wie Nachbars Lumpi! Hat es bei Ihnen auch Wirkung gezeigt?«

»Warten Sie! Dazu kommen wir gleich. Ich wusste, was jetzt anstand. Im Gegensatz zu anderen Frauen stand Eve darauf, am Ende etwas gröber genommen zu werden; erst dann fühlte sie sich wirklich befriedigt.

Ungeduldig und außer Atem versuchte sie, mir die Hose herunterzureißen. Ihre Hände zitterten, und sie kriegte die Knöpfe nicht auf, weshalb sie mich bat, ihr zu helfen. Doch leider sollte sie da, wo sie so verzweifelt suchte, nichts vorfinden. Jedenfalls nicht in dem Moment. Ich musste irgendetwas tun, und zwar schnell. Um den Augenblick der Wahrheit auf später zu verschieben, machte ich Anstalten, sie noch einmal zum Kommen zu bringen. Ich versuchte, sie aufs Bett herunterzuziehen, und gab ihr zu verstehen, dass ich es ihr mit meiner nassen Zunge besorgen wollte. Schließlich gab sie nach und legte sich neben mich. Ich drehte sie auf den Rücken, vergrub mein Gesicht zwischen ihren feuchten Schenkeln und begann, sie nach allen Regeln der Kunst mit der Zunge zu verwöhnen. Gleichzeitig wollte ich auf diese Weise meinen Schwanz zu einer Reaktion bewegen, dass er das tat, worauf er ›trainiert‹ war, doch vergebens. Ich leckte Eve mit aller Leidenschaft, und es schien ihr zu gefallen. Sie fuhr mir mit den Fingernägeln über den Rücken und umklammerte mit den Beinen meinen Kopf. Plötzlich hatte ich einen genialen Einfall, eine Idee, die meine schlafende Männlichkeit ganz bestimmt zu neuem Leben erwecken würde.

Ich sagte zu Eve: ›Rede mit mir! Sag mir, was du fühlst!‹

›Ich bin total geil … Ich fließe wie ein Wasserfall!‹, keuchte sie. ›Ich will deinen riesigen Schwanz in mir spüren! Ich komme, ich komme!‹

Wie durch Magie ließ sich mein müder kleiner Mann endlich zu einer Reaktion hinreißen. Zuerst noch ein wenig verhalten, richtete er sich stolz auf. Ich öffnete hektisch meine Hose und sah ihn mir an, den vertrauten alten Freund. Er war eindeutig bereit. Doch genau in dem Moment, in dem er mit seiner Spitze Eves Schenkel berührte, passierte es erneut. Er machte schlapp. Ich war am Boden zerstört und versuchte, die Schmach vor Eve zu verbergen, doch vergebens. Sie erblickte seinen traurigen Zustand beinahe im gleichen Moment wie ich, richtete sich auf, hüllte sich in das zerknitterte Bettlaken und ging ins Wohnzimmer. Ich fühlte mich hundeelend und entschuldigte mich, doch sie war felsenfest davon überzeugt, dass ich fremdging.«

»Typisch Frau«, stellte der Barkeeper fest.

»Genau. Ich versicherte ihr immer wieder, dass ich ihr treu sei, und dass mich die Geschichte genauso beunruhige wie sie, doch sie wusste nicht, wie sie reagieren sollte. Eigentlich wollte sie gar nicht wütend werden, aber sie konnte nicht anders. Und so ging sie zu Bett und ließ mich kettenrauchend allein im Wohnzimmer zurück. Während ich mich immer wieder fragte: Warum passiert das ausgerechnet mir? Warum gerade jetzt?, qualmte ich eine ganze Packung Zigaretten weg. An meinem Tagesablauf hatte sich nichts geändert. Ich hatte weder mehr Stress als üblich noch wurde ich von irgendwelchen Sorgen geplagt. So etwas war mir noch nie passiert, und ich war wirklich der Verzweiflung nahe. Am Ende bin ich auf dem Sofa eingeschlafen und habe mich die ganze Nacht unruhig hin und her gewälzt. Als ich im Morgengrauen aufwachte, musste ich feststellen, dass mein dummes Ding genauso schlapp war wie am Tag zuvor. Nicht einmal mehr auf meine unvergleichliche legendäre Morgenlatte war Verlass. Ich musste eine Lösung finden! Vielleicht, so dachte ich, hat einer meiner Freunde schon mal so etwas durchgemacht. Ich beschloss, mir Rat zu holen.«

»Lassen Sie mich raten, was Sie zur Antwort bekamen«, warf mein Zuhörer ein. »Dass Ihre Freunde so etwas noch nie erlebt hätten!«

»Genauso war es! Und das machte die Sache für mich nur noch schlimmer. Ich fühlte mich beinahe, als hätte ich sie durch meine bloße Frage in ihrer Männlichkeit verletzt, dabei hatte ich mich ihnen doch nur anvertraut und mich mit meinem heiklen Geständnis zudem auch noch in eine prekäre Lage gebracht. Sie vögelten nahezu täglich, versicherten sie mir allesamt, und wenn ›es‹ ausnahmsweise einmal nicht funktioniert habe, seien einzig und allein ihre Frauen oder Freundinnen schuld gewesen! Sie zogen sogar in Erwägung, dass Eve vielleicht nicht mehr die Richtige für mich sei. Als ich klarstellte, dass das sicher nicht das Problem sei, rieten sie mir, mich trotzdem ein wenig umzusehen. Ich müsse meine Freundin ja nicht gleich betrügen – eine Stripteasebar oder ein paar Pornos oder etwas in der Art täten es sicher auch. Ich solle mir einfach guten Gewissens gönnen, was auch immer mich hart mache.

Der Vorschlag klang so gut wie jeder andere auch. Also machte ich an jenem Abend auf dem Nachhauseweg einen Zwischenstopp bei einer Videothek. Bevor ich Eve kennen gelernt hatte, hatte ich eine Vorliebe für Filme, in denen in Leder gehüllte Dominas arme Kerle auspeitschten und zu Objekten degradierten. In meiner erotischen Fantasie hatte ich mir immer vorgestellt, von einer Amazone mit rot angemalten Lippen und einer Peitsche in der Hand einen runtergeholt zu bekommen, bis ich um Gnade flehte. Ich wählte eine Kassette aus, die dieser Fantasie dem Cover nach zu urteilen ziemlich nahe kam, und eilte beschwingten Schrittes nach Hause.

Eve empfing mich in einem knappen Spitzenbody und mit zwei Gläsern Wein in der Hand. Sie führte mich zum Sofa, und ich setzte mich neben sie. Sie entschuldigte sich für ihre Reaktion am Tag zuvor und fragte mich, ob sie mir irgendwie helfen könne, um über mein ›Problem‹ hinwegzukommen. Ich zeigte ihr die Filmkassette und erzählte ihr von meinem Plan. Ohne ein Wort verschwand sie im Schlafzimmer und kam ein paar Minuten später in einem Lederlook-Bikini und hochhackigen Lederstiefeln zurück. In der Hand hielt sie zwei Ledergürtel. Mit einem der Gürtel fesselte sie meine Hände und schob die Kassette in den Videorekorder.

Der Film war genau so, wie ich ihn mir gewünscht hatte: Eine große Brünette drohte einem wehrlosen Mann mit der

Peitsche. Sie befahl ihm, ihr erst die Stiefel und dann die Möse zu lecken, sonst werde sie ihn züchtigen. Eve spielte die Szene mit mir nach. Sie kniete über meinem Mund und zwang mich, sie mit geneigtem Kopf zu lecken, sodass ich gleichzeitig weiterverfolgen konnte, was auf dem Bildschirm geschah. Die große Brünette drückte dem Mann eine ihrer üppigen Brüste in den Mund; Eve folgte ihrem Beispiel und erstickte mich fast. Einige Minuten später hatte sich der Mann auf dem Bildschirm, dessen Schwanz inzwischen steil aufgerichtet war, die Hose vom Leib gerissen. Die Frau streichelte ihn zuerst sanft und umwickelte seinen Ständer dann mit der Peitsche. Ihr Speichel rann den Peitschenstiel hinunter, ihr Lippenstift hinterließ eine lange rote Spur.

Eve nahm meinen Schlappschwanz und begann, mit ihm zu spielen. Sie saugte, stupste und leckte ihn mit ihrem geübten Mund und war so gut, dass ich tatsächlich spürte, wie er von einer Art Elektroschock durchzuckt wurde. Von dieser Reaktion ermutigt, saugte sie noch intensiver, wobei sie sich gleichzeitig selber streichelte. Ich bewunderte ihre runden Pobacken, ihre gespreizten Schenkel, ihre Lippen, mit denen sie fest meinen Schwanz umschlungen hatte, was für ein Anblick! Ihr Bikinioberteil vermochte ihren vollen Busen, den sie gerade heftig an meiner Hüfte rieb, kaum zu fassen. Der Mann auf dem Bildschirm hatte das Gesicht inzwischen grotesk verzogen, denn er wurde gerade stürmisch von der brutalen Schönheit geleckt. Sein Schwanz war riesig, doch die Frau versenkte ihn trotzdem mühelos in seiner ganzen Länge in ihrem Schlund. Als er schließlich kam, bespritzte er das Gesicht der Frau über und über mit seinem Saft. Ich hingegen spürte, wie mein Pimmel zusammenschrumpfte. Eve hob enttäuscht den Kopf, während ich mich verlegen wegdrehte.«

Meiner neuen Kneipenbekanntschaft hatte es für einen Augenblick die Sprache verschlagen.

»Ich weiß gar nicht, was ich sagen soll«, sagte der Barkeeper schließlich. »Da hatten Sie ja einen richtigen Kolbenklemmer! Entschuldigen Sie den Ausdruck!«

»Ist schon okay. Genauso war es ja. Aber Eve ließ sich nicht entmutigen. Am nächsten Tag starteten wir einen weiteren Versuch: Wir gingen in eine Stripteasebar. Eve wusste, dass ich vor ihrer Zeit regelmäßig mit meinen Kumpeln derartige Läden aufgesucht hatte. Diesmal überwand sie ihren Stolz und begleitete mich. Die Bar war nicht besser oder schlechter als die Etablissements, die ich kannte. Wir ließen uns in der Nähe der kleinen Bühne nieder und bewunderten die hübschen Tänzerinnen. Eine von ihnen schlüpfte während eines ziemlich gewagten Tanzschritts aus ihrem Höschen und katapultierte es auf meine Schulter. Eve lächelte mich amüsiert an. Die Stripperin tanzte ein paar Sekunden vor mir. Eve bedeutete ihr, näher zu kommen und reichte ihr einen Schein, den sie in ihrem Tanga verschwinden ließ. Sie hatte einen riesigen Busen, eine superschlanke Taille, runde Hüften und sehr lange Beine. Ihr Haar hatte sie hochgesteckt, und sie hatte nichts am Leib als einen String, einen winzigen BH und rote Schuhe mit extrem hohen Absätzen. Sie brachte ihren Hocker an unseren Tisch und tanzte nur für uns, wobei sie uns fortwährend in die Augen sah. Bei ihrem Strip bewegte sie sich anmutig zum Takt der Musik und ließ sich viel Zeit. Sie streckte sich geschmeidig wie eine Katze und drehte sich, damit ich auch die Kurven ihres Pos bewundern konnte. Dann wandte sie mir wieder ihr Gesicht zu und kam mir so nah, dass ihre Nippel beinahe meine Nase kitzelten. Ich war versucht, meine Zunge auszustrecken, doch ich konnte mich gerade noch beherrschen. Sie ließ ihre Hände über die Kurven ihres Körpers wandern und öffnete schließlich ihr Haar. In der Zwischenzeit flüsterte Eve mir etwas ins Ohr. Sie wollte von mir wissen, ob ich das Mädchen mochte und ob ich es gut fände, wenn sie mit uns nach Hause käme. Stellen Sie sich das mal vor! Sie hat mir allen Ernstes vorgeschlagen, sie einzuladen, und wollte von mir wissen, ob mich vielleicht ein flotter Dreier antörnen würde oder ob ich ihr gern zusehen würde, wenn sie es mit der anderen Frau trieb. Als sie sah, wie sehr mich allein ihre Worte erregten, ging sie weiter ins Detail. Sie schlug vor, ich könnte die Tänzerin ja von hinten nehmen, während sie selber sie streichelte. Und danach könnten wir tauschen …

Als das Lied zu Ende war, steckte Eve der Tänzerin einen weiteren Schein zu und begann erneut zu flüstern. Sie sagte, dass das Mädchen sehr schöne Brüste habe und dass sie sie gerne berühren würde. Da sie so etwas jedoch noch nie getan habe, müsse ich es ihr beibringen. Ich könne die andere Frau aber auch ganz für mich haben, und sie würde einfach nur zusehen … In dem Moment musste ich an meine Nacht mit Simone denken, und mein Schwanz regte sich allmählich. Im Kopf hatten all diese Möglichkeiten mich längst vollkommen aus dem Häuschen gebracht. Ich sah mich mit diesen beiden Schönheiten, wie ich sie eine nach der anderen nahm und sie mir zwischendurch einen bliesen …

Das nächste Lied ging zu Ende. Plötzlich hatte ich genug von der Tänzerin. Das Einzige, wonach mir der Sinn stand, war, über Eve herzufallen. Meine wilden Orgienzeiten gehörten zwar der Vergangenheit an, doch das hieß nicht, dass ich keine heißen Nummern mit meiner Freundin schob! Ich packte Eve bei der Hand und zog sie ins Auto. Ich wollte sie auf dem Rücksitz nehmen, und zwar sofort an Ort und Stelle. Wir hatten in einer ziemlich dunklen Seitenstraße geparkt. Ich öffnete die hintere Tür und schob meine mehr als willige Freundin in den Innenraum. Nachdem ich die Tür hinter uns geschlossen hatte, befreite ich ihre Brüste und begann spielerisch an ihnen herumzuknabbern. Dann fasste ich mit der

Hand unter ihr Röckchen und entdeckte zu meiner Freude, dass ihre Scham erneut vollkommen frei und unbedeckt war; kein noch so winziger Fetzen Kleidung hinderte mein Vorankommen. Ich wollte lieber kein Risiko eingehen, also fackelte ich nicht lange, riss mir ohne irgendeine überflüssige Bewegung die Hose herunter und warf mich auf sie. Doch im nächsten Augenblick wäre ich beinahe in Tränen ausgebrochen! Kaum hatte ich mein Ding aus der Hose geholt, da schrumpfte es schlaff in sich zusammen.«

»Ich fasse es nicht!«, rief der Barkeeper. »Sie machen mir allmählich richtig Angst! Dabei haben Sie sich doch so bemüht! Ist es denn wenigstens irgendwann besser geworden?«

»Lassen Sie mich weitererzählen! Nach der Katastrophe im Auto war ich wirklich am Ende, das können Sie sich sicher vorstellen. Eve tröstete mich, so gut sie konnte, doch es half alles nichts. Ich wusste nicht, was ich noch tun sollte. Zu Hause kippte ich erst mal einen doppelten Scotch und gleich noch einen, dann ging ich unverrichteter Dinge ins Bett.

Am Montagmorgen verließ ich meine einfühlsame Freundin, ohne dass sich irgendetwas geändert hatte, und machte mich auf den Weg ins Büro. Ich war ein Bild des Jammers. Gegen ein Uhr mittags informierte mich meine Sekretärin, dass mich eine gewisse Miss Lyndon zu sehen wünsche. Miss Lyndon?, fragte ich mich. Ich kannte keine Miss Lyndon und bat meine Sekretärin, sie in mein Büro zu führen.

Im ersten Moment erkannte ich sie kaum, obwohl sie so ein Outfit durchaus öfter trug: Maßgeschneidertes Kostüm, Satinbluse, hohe Absätze und Seidenstrümpfe. Doch ihr Gesicht war an jenem Tag zum Teil durch einen riesigen Hut mit einem kleinen Schleier verhüllt. Sie sah aus wie eine Frau aus der *Paris Vogue* oder aus irgendeinem anderen Modemagazin. Die Sekretärin zog sich zurück, und Eve knallte die Tür hinter sich zu. Ich starrte sie an und staunte. Sie sagte, sie sei gerade in der Nähe gewesen und habe Lust gehabt, kurz vorbeizuschauen. Sie ließ sich nieder und schlug die Beine übereinander, wodurch ihr Rock ein wenig hochrutschte und den Blick auf den Rand ihrer Strümpfe freigab. Fasziniert starrte ich ihr in Seide gehülltes Bein an, das wie von einer zweiten Haut umschmeichelt zu sein schien. Ihr Strumpfhalter und ihre Strümpfe waren farblich perfekt aufeinander abgestimmt, und sie zupfte neckisch an dem Strumpfband. Dann hob sie eins ihrer Beine, legte es, auf den Absatz ihres Schuhs gestützt, auf meinen Schreibtisch und offenbarte mir, dass sie es sich offenbar zur Gewohnheit gemacht hatte, keine Unterwäsche zu tragen. Ich schluckte schwer und verstand, worauf das alles hinauslaufen sollte. Sie nahm einen Stift von meinem Schreibtisch und ließ ihn unter den Rand ihrer Seidenstrümpfe gleiten, um mir zu zeigen, wie einfach sie sich herunterstreifen ließen. Dann fuhr sie mit dem Stift durch ihr extrem kurzes Schamhaar und umkreiste ihre rosigen Schamlippen. Die Spitze verschwand für ein paar Sekunden und kam nass und glänzend wieder zum Vorschein. Scheinbar geistesabwesend lutschte sie den Stift ab und fragte mich, ob ihr Verführungsversuch schon eine Wirkung zeige. Ich sah an mir herab und konnte es vor Freude kaum fassen: In meinem Schoß zeichnete sich tatsächlich eine kleine Beule ab. Ich grinste sie verschmitzt an. Sie grinste zurück, und bevor ich michs versah, stieg sie auf meinen Schreibtisch und riss sich den Rock bis zur Taille hoch. Auf allen vieren hockend streckte sie mir ihre glänzende Möse entgegen. Angetörnt von ihrer derart zur Schau gestellten Liebesspalte, griff ich nach einer kleinen zylinderförmigen Trophäe, die auf meinem Schreibtisch stand, und führte sie langsam in sie ein. Ihre Muschi befand sich genau auf der Höhe meiner Augen, sodass ich jedes einzelne Fältchen erkennen und genau beobachten konnte, wie das Objekt in sie hinein- und wieder herausglitt und von ihrem Liebessaft immer mehr glänzte. Ich wurde schneller. Eve stöhnte und fasste mit der Hand hinunter zu der Trophäe und zu dem empfindlichsten Punkt ihrer hungrigen Möse. Sie verzehrte sich vor Begierde, das war deutlich zu sehen. Das in immer schnellerem Rhythmus in sie gleitende metallene Objekt hypnotisierte mich geradezu. Ich war so fasziniert, dass ich meine pralle Erektion zunächst nicht einmal bemerkte. Als ich schließlich so hart war, dass ich es nicht länger ignorieren konnte, holte ich Eve vom Schreibtisch herunter, drehte sie um, legte sie vornüber gebeugt mit dem Gesicht nach unten auf die hölzerne Schreibtischplatte und umklammerte sie fest. Ich rieb mich an ihrem göttlichen Körper und wollte gerade in sie eindringen …«

»In Ihrem Büro!«

»Ja, in meinem Büro. Es hat keine Fenster und ist so gut wie schalldicht. Ich küsste ihren Hals und ihre Schultern, schob ihre Bluse hoch und massierte ihre Nippel. Sie können sich gar nicht vorstellen, wie erleichtert ich war! Endlich funktionierte ich wieder! Falls es nicht anders ginge, tröstete ich mich, würden wir es eben nur noch in meinem Büro treiben! Was soll's!

Doch dieser Gedanke hatte eine katastrophale Wirkung. Von einer Sekunde auf die andere erschlaffte mein Schwanz erneut zu einer winzigen Weichnudel – ein Zustand, in dem er sich ja fast nur noch zu befinden schien. Eve sprang auf, glättete ihr Kostüm, öffnete die Bürotür und rief: ›Trotzdem vielen Dank, Mr. Brennan!‹ Mit diesen Worten war sie draußen und ließ mich bei weit geöffneter Tür mit runtergelassener Hose zurück wie einen begossenen Pudel.«

»O je! Hat Sie jemand so gesehen?«

»Ich glaube nicht. Und wenn doch, hätte mich das auch kaum mehr erniedrigen können … Ich war am Boden zerstört! Eve hat es danach noch drei Monate lang mit mir versucht, und dafür werde ich ihr auf ewig dankbar sein, aber leider war ihre Mühe vergebens. Sie hat einfach alles probiert: sexy Kleidung in jeder erdenklichen Variante, scharfe Accessoires, Filme, die von Mal zu Mal heftiger wurden. Und dann hat sie es irgendwann aufgegeben. Sie hat sich in dieser Zeit mehr und mehr von mir entfremdet, bis wir uns schließlich eingestehen mussten, dass der Schaden nicht mehr zu beheben war und die Situation sich nicht ändern würde.

Wir trennten uns, beide verbittert und enttäuscht. Aber was sollte ich tun? Ich konnte sie doch nicht bitten, sich noch länger zu gedulden und kooperativ zu zeigen; schließlich schien ich ein hoffnungsloser Fall. Am Ende schimpfte sie mich einen Feigling, weil ich mich hartnäckig weigerte, mit meinem Problem zum Arzt zu gehen. Aber was sollte ich beim Arzt? Eigentlich hatte ich doch gar nichts! Ich konnte ihn immer noch hochkriegen, nur wenn es dann richtig zur Sache gehen sollte, änderte sich schlagartig alles! Ich spürte ja nach wie vor dieses Beben in mir, wenn ich erregt war, doch dann kam dieser plötzliche Druckabfall und zerstörte alles. Darüber konnte ich doch mit keinem Arzt sprechen! Vollkommen undenkbar! Stellen Sie sich das vor – *meine* Männlichkeit stand auf dem Spiel! Wenn ich meine Partnerin nicht mehr wie gewohnt auf Verlangen befriedigen konnte, war das zwar schlimm, dachte ich mir, aber dann musste ich eben sehen, ob ich mich allein kurieren konnte.

Als meine Freunde sahen, wie elend es mir ging, gaben sie schließlich zu, dass sie hochgestapelt hatten: Sie trieben es doch nicht ›fast jeden Tag‹ oder ›vier-, fünfmal pro Woche‹. Mein Freund Sid gestand sogar ein wenig kleinlaut: ›Seitdem die Kinder da sind und mich die Arbeit so in Anspruch nimmt, machen wir es nur noch gelegentlich. Das ist ganz normal. Aber wenigstens kriege ich ihn noch hoch.‹ Am Ende hielt ich es für das Beste, nicht mehr über die Sache zu reden. Doch von nun an ging es erst richtig mit mir bergab. Aus dem einen Scotch, den ich mir zuvor nach einem stressigen Tag im Büro genehmigt hatte, wurden vier oder fünf pro Abend. Manchmal trank ich schon zum Mittagessen. Ich schlief schlecht und grübelte ständig darüber nach, was falsch gelaufen war oder wofür ich bestraft wurde.«

»Das kann ich gut nachvollziehen. Andere Männer in ihrer Situation hätten sich vermutlich noch viel mehr gehen lassen!«

»Hätte der Zustand noch ein bisschen länger angehalten, wäre ich vermutlich ein Wrack gewesen. Doch dann, am Tag Nummer zweihundertdreiundfünfzig, fasste ich den Entschluss, nicht mehr an mein Dilemma zu denken. Wie jemand, der sich nach einer Amputation zwingt, nicht mehr an sein verlorenes Bein zu denken. Ich hasste meinen Penis wie die Pest. Ich redete ihm nicht mehr gut zu und würdigte ihn keines Blickes. Ich behandelte ihn, wie ein Kind seinen Pimmel behandelt – er war da, und das war's. So verfuhr ich zwei Tage lang. Am dritten Tag ging es mir richtig schlecht, und ich rief Eve an, um mich trösten zu lassen. Zuerst war sie ziemlich unterkühlt, und ich musste meinen ganzen Charme spielen lassen, sie zu überzeugen, dass ich sie wirklich brauchte. Ich gestand ihr, dass mein Problem immer noch nicht gelöst sei und ich jemanden brauche, der ein offenes Ohr für mich habe und eine Schulter zum Ausheulen. Am Ende hatte ich sie so weit. Bei so viel Ehrlichkeit konnte sie nicht widerstehen …

Seit unserer Trennung hatte ich sie nicht mehr gesehen. Voller Wehmut erinnerte ich mich an ihre anmutigen Kurven. Sie war wunderschön und so herrlich weiblich. Und wie viel Verständnis sie für mein Problem gezeigt hatte! Sie hatte wirklich alles versucht … Ich konnte mich unglaublich glücklich schätzen, eine Frau wie sie gefunden zu haben. Doch je mehr Mühe sie sich gegeben und je verführerischer sie sich zurechtgemacht hatte, desto sturer hatte mein Schwanz reagiert. Und je mehr sie versucht hatte, mich zu beruhigen, desto mehr hatte ich sie enttäuscht. Ich schuldete ihr eine Menge – eine Menge Achtung und angemessene Wiedergutmachung.«

»Demut zu zeigen, scheint bei Frauen gut anzukommen …«

»Es war nicht nur Demut. Ich war total verzweifelt! Ich klingelte mit einem flauen Magen an ihrer Tür und war geschockt, als sie öffnete. Sie trug ein altes Sweatshirt, das mit Farbflecken übersät war. Ihr Haar hatte sie halbherzig hochgesteckt, einzelne Strähnen hingen ihr im Gesicht und über den Augen. Sie sah furchtbar aus! Kein Make-up, Löcher in den Socken, und von ihren grandiosen Kurven war unter dem schlabberigen Sweatshirt nichts zu erkennen … Ich machte mir wirklich Sorgen und fragte sie, ob irgendetwas nicht mit ihr stimme. Doch bevor sie antworten konnte, spürte ich plötzlich eine Regung in meiner Hose, die erste wirkliche Regung seit Monaten. ›Ich fasse es nicht!‹, murmelte ich zu mir selbst. ›Was für ein unberechenbarer Schlingel!‹ Aber ich täuschte mich nicht! Ich sah diskret an mir herunter und glaubte meinen Augen nicht zu trauen! Ich hatte einen Ständer, und zwar einen so ausgeprägten, dass meine Hose sich zu einem kleinen Zelt ausbeulte! Eve folgte meinem Blick und bekam große Augen. Sie ließ mich herein. Wahrscheinlich machte sie sich Sorgen, was wohl die Nachbarn denken würden. Doch ich spürte ihre Skepsis. Vermutlich glaubte sie, dass mein ›Zelt‹ jeden Augenblick wieder in sich zusammenfiel und ich erneut dastand wie ein begossener Pudel. Sie ging in die Küche und holte mir ein Bier. In dem Augenblick sah ich durch ein kleines Loch in ihrer Hose, dass sie die furchtbare rosa Unterhose trug, über die wir uns immer lustig gemacht hatten. Sie war riesig, hatte ein ausgeleiertes Gummiband und lugte hinten über ihren Hosenbund. Der Anblick brachte meinen Schwanz erneut zum Stehen, und er war mindestens zwei Zentimeter länger, als ich ihn je gesehen hatte. Was ist los mit mir?, fragte ich mich. Was, um Himmels willen, hat mich jetzt angetörnt? Eigentlich entwickelte sich doch alles in die falsche Richtung …

Eve kam mit dem Bier zurück und starrte ungläubig auf meinen Schritt. Doch ihre einzige Reaktion war ein Lächeln. Offenbar wollte sie die drohende Enttäuschung für mich nicht noch schlimmer machen.

Ich hingegen konnte an nichts anderes denken, als ihr diese furchtbaren Klamotten vom Leib zu reißen! In der Befürchtung, dass meine Hoffnungen sich wieder in Luft auflösten, erzählte ich ihr, dass ich schon seit mehr als fünf Minuten eine anständige Erektion hätte. Wahnsinn! Noch eine Minute oder zwei, und ich würde vor Freude in die Luft springen. Eve gab zu bedenken, dass sie sich nicht gerade sexy zurecht gemacht habe … Vielleicht sei das ja die Erklärung, entgegnete ich, und fragte sie, was für einen BH sie trage. Sie hob ihr Sweatshirt und präsentierte einen altmodischen cremefarbenen Büstenhalter, der ihre Brüste vollkommen verhüllte. Er war absolut unerotisch und fiel schon fast auseinander, an einigen Stellen franste er bereits aus. Unattraktiver hätte sie sich kaum verpacken können! Doch mein Schwanz machte erneut einen Freudensprung, und auf der Spitze bildete sich ein kleiner Tropfen, der mich vor Begierde ganz heiß werden ließ. Es war eine Ewigkeit her, dass ich …

Eve nahm mich ins Visier. Dann zog sie erst ihre Jogging-Hose aus und offenbarte ihre unsäglich hässliche rosa Unterhose, danach folgte das Sweatshirt. Als sie da so halb nackt vor mir stand, in ihrer furchtbaren Unterwäsche und den durchlöcherten Socken, geriet mein Blut noch mehr in Wallung. Ich hatte einen Ständer wie ein Hengst. Sie zog mir die

Hose runter und nahm ihn in den Mund. Ich war darauf gefasst, dass er jeden Augenblick wieder erschlaffte, doch es passierte nicht! Sie ging zum Sofa, zwinkerte mir zu und schob den Schritt ihrer hässlichen Unterhose zur Seite, ohne sie auszuziehen. Ich drang mit einem einzigen Stoß in sie ein. Mein Schwanz war härter denn je. Eve ließ es ganz ruhig und zärtlich angehen, und ich liebte sie endlich wieder richtig mit meinem Schwanz und bemühte mich, die Freude so lange wie möglich auszukosten.

Als ich schließlich kam, durchzuckte mich ein Blitz der Erkenntnis. »Die furchtbare Unterwäsche!«

In guter Absicht

Die Tür ging mit einem Quietschen auf, und meine alte Freundin Liza kam herein. Sie musterte mich von Kopf bis Fuß, setzte ihr berühmtes Lächeln auf und nahm Platz. Ganz offensichtlich wartete sie darauf, dass ich zu erzählen anfing. Da ich wusste, dass wir später noch reichlich Zeit haben würden, über weniger wichtige Dinge zu reden, kam ich direkt zur Sache. Deshalb war sie schließlich gekommen. Ich schluckte, sammelte mich und legte los.

»Weißt du noch, wie meine Mutter immer gesagt hat: ›Mensch, Mädchen, die Männer werden dich eines Tages noch ins Verderben stürzen?‹ Also, meine Liebe – das ist nun Jahre her, aber leider muss ich wieder einmal zugeben, dass sie Recht hatte. Du kannst dir gar nicht vorstellen, in was für einem Schlamassel ich stecke. Ich! Eine erwachsene Frau, die imstande sein sollte, die richtigen Entscheidungen zu treffen und die Konsequenzen ihres jeweiligen Handelns abzuschätzen. Aber nein! Es hat mich erwischt wie einen völlig unerfahrenen Teenager, wobei sich selbst ein Teenager nicht in so eine heikle Lage gebracht hätte wie ich …«

»Fang von vorne an. Ich bin nicht auf dem Laufenden, was du in letzter Zeit so getrieben hast …«

»Ach so, ja. Entschuldige bitte … Meine Probleme fingen gleich nach meinem Umzug an. Das war letztes Jahr, erinnerst du dich? Bis dahin habe ich in meinem Apartmenthaus gelebt, in dem ich jahrelang glücklich und zufrieden war. Ich hatte nie die Absicht, dort auszuziehen – ein zwanzigstöckiges Hochhaus, und mit Steve und Sylvie hatte ich ein paar wirklich nette und entgegenkommende Nachbarn, die es mir ermöglicht haben, meine exhibitionistische Ader ein bisschen auszuleben.«

»Aha. Wie ist es denn dazu gekommen?«

»Eigentlich hatte ich es gar nicht darauf angelegt. Ich hatte einfach nur keine Vorhänge für mein Schlafzimmerfenster gekauft. Mein damaliger Freund stand darauf, dass ich ihm im hell erleuchteten Zimmer etwas vortanzte. Eines Abends habe ich ihm dann eine Spezialvorstellung gegeben und ihm gezeigt, was ich alles drauf habe, und erst da ist mir klar geworden, dass meine Nachbarn uns bei unserem Liebesspiel zusehen konnten. Ich bin mir ziemlich sicher, dass sie die Situation voll ausgenutzt haben! Die kreuzförmige Architektur war eben auch ein Riesenvorteil an diesem Haus.«

Ich machte eine kurze Pause und fuhr dann fort. »Wie auch immer, jedenfalls hat mich diese Art von Performance richtig stolz gemacht, und es hat mir ein Riesenvergnügen bereitet, meinen Nachbarn zu zeigen, was ich noch so alles auf Lager hatte. Ich habe ziemlich schnell mitgekriegt, dass sie sich keine meiner Vorführungen entgehen ließen. Das hat mich erst recht angestachelt. Dann lernte ich Dave kennen. Ein großer kräftiger Typ mit einem Riesenschwanz. Er hätte dir bestimmt gefallen. Ich war etwa einen Monat mit ihm zusammen, als plötzlich seine Frau bei mir aufkreuzte – natürlich hatte ich keine Ahnung, dass er verheiratet war! – und wüste Drohungen gegen mich ausstieß. Was für ein Reinfall. Dave war ein großartiger Liebhaber, und ich hing sehr an ihm. Es hat mir zwar nicht gleich das Herz zerrissen, aber ich wäre gerne länger mit ihm zusammengeblieben. Er war vielleicht ein bisschen grob, und sein Schwanz war wirklich ein

Ungetüm, aber er war einfach große Klasse. Ich ließ ihn nur unter großem Bedauern ziehen und versuchte, in die Zukunft zu blicken, doch seine betrogene Ehefrau setzte alles daran, mir das Leben schwer zu machen … Dann kam eine Freundin von mir auf die rettende Idee. Erinnerst du dich an Elaine?«

»Die Immobilienmaklerin?«

»Ja, genau. Es lag klar auf der Hand, dass ich dringend einen Tapetenwechsel brauchte, also hat sie mich überzeugt, ein Haus zu kaufen. Sie hatte ziemlich schnell eins zur Hand, von dem sie wusste, dass es mir gefallen würde. Das Haus war ein Schmuckstück und lag in einer Preisklasse, die ich mir leisten konnte.

Vom Moment meines Umzugs an fand ich Gefallen daran, nun eine Hausbesitzerin zu sein. Natürlich habe ich meine ehemaligen Nachbarn vermisst, aber ich habe mir gesagt, dass in meiner neuen Umgebung bestimmt auch irgendwann etwas Aufregendes passieren und ich den Umzug sicher nicht bereuen würde. In der Zwischenzeit habe ich mich mit dem einzigen Souvenir begnügt, das mir von Dave geblieben war – einem schmalen Ledergürtel, den er versehentlich in meiner alten Wohnung vergessen hatte. Er hatte ihn während einer unserer Liebesnächte benutzt, um meinen Körper damit zu bearbeiten, natürlich ganz sanft und liebevoll. Ich hatte eine sehr intensive und angenehme Erinnerung an diese Nacht und habe mich des Gürtels bedient, wann immer ich das Bedürfnis danach verspürte.

Dann kam eines Tages ein grüner Van vor meiner Tür vorgefahren, und ein junger Mann klingelte bei mir und bot an, sich um meinen Rasen zu kümmern. Eigentlich ist es weniger mein Rasen, der Fürsorge braucht, dachte ich, und sah mir diesen knackigen jungen Kerl genau an. Er sah wirklich ausgesprochen gut aus, also habe ich ihn auf der Stelle engagiert.

Als ich ihn da so in der heißen Julisonne arbeiten sah, habe ich ihn ertappt, wie er in meine Richtung sah. Er sah wirklich schnuckelig aus! Er gab sich selbstbewusst, aber ich hielt es nur für Fassade, denn jedes Mal, wenn er mich ansah, wurde er rot. Ich fragte ihn, ob er einmal wöchentlich vorbeikommen wolle, und bot ihm an, ihn im Voraus zu bezahlen. Er war sofort einverstanden, und als er mit seiner Arbeit fertig war, kam er kurz zu mir ins Haus, um sein Geld abzuholen. Nachdem er sich bedankt hatte und wir ein paar Höflichkeitsfloskeln ausgetauscht hatten, winkte er mir zum Abschied kurz zu und verschwand.«

»Oh, oh! Was genau meinst du mit ›junger Typ‹ …?«

»Keine zwanzig! Aber lass mich weitererzählen … Während der Hitzewelle hatte ich es mir an den Abenden zur Gewohnheit gemacht, das Radio aufzudrehen und in den Pool zu springen – nackt wie am Tag meiner Geburt. Ich hatte den Pool gleich nach meinem Einzug anlegen lassen. Das Wasser war herrlich. Es hatte genau die passende Temperatur, meinen erhitzten Körper ein wenig abzukühlen. Ich plantschte ein bisschen herum, drehte mich auf den Rücken und bewunderte den klaren Sternenhimmel. Nach ein paar Minuten trieb mein Körper wie von selbst durch den Pool, angetrieben von dem starken Strahl der Filteranlage.

Der Wasserstrahl war sehr angenehm, und ich ließ ihn meine Brüste kitzeln, meinen Bauch … die Innenseiten meiner Oberschenkel. Mein Körper freute sich über die unerwartete Liebkosung, und ich spreizte die Beine, sodass der Strahl einen Moment lang meine empfindlichste Stelle massierte. Dann stieg ich aus einem Impuls heraus aus dem Pool, hüllte mich in ein Handtuch und holte Daves Gürtel. Wie immer törnte es mich schon an, ihn bloß zu berühren. Ich ließ ihn zwischen meine Beine gleiten, hielt ein Ende vor meinem Bauch, das andere hinter meinem Rücken und zog ihn langsam hin und her, sodass das Leder meine erregte Möse rieb.

Da es stockdunkel war, legte ich mich auf die Liege und brachte mit der Hand zu Ende, was ich mit dem Gürtel begonnen hatte. Nach ein paar Minuten kam ich, ohne einen Mucks von mir zu geben, und dachte an Dave, meine ehemaligen Nachbarn und diesen knackigen Jüngling, der am Nachmittag bei mir aufgetaucht war ...

Plötzlich hörte ich einen Zweig knacken. Ich schärfte all meine Sinne und lauschte. Ich hörte leises Gekicher und Geflüster. Es kam aus dem Garten, der hinten an mein Grundstück angrenzt. Ob sie mich beobachtet hatten? Wer war es? Ich starb vor Neugier. Also hüllte ich mich in mein Handtuch und pirschte mich vorsichtig an den Zaun meines Nachbarn heran.

Im Gras lag ein Pärchen, das sich küsste und kicherte. Es versuchte offensichtlich, leise zu sein, doch das gelang ihm nicht. Die Gesichter konnte ich nicht erkennen, nur die Umrisse der beiden Körper. Sie schienen sehr jung zu sein, vielleicht waren sie sogar noch Teenager. Wie es aussah, versuchte der Junge, in ihre intimeren Sphären vorzudringen, während seine Partnerin ihn zurückhielt. Ihrem unterdrückten Gekicher war anzuhören, dass sie nervös war. Sie erlaubte ihm, ihre jungen Brüste zu liebkosen, obwohl er nicht gerade besonders zärtlich war. Doch als er versuchte, seine Hand in ihre Shorts zu schieben, sprang sie auf. Ihre Heiterkeit war schlagartig verschwunden, und sie rannte davon und rief: ›Das nicht, Sean! Du hattest es versprochen!‹

Sean? War es etwa der gleiche Sean, der an jenem Nachmittag bei mir gewesen war? Wahrscheinlich ja. Armer Junge. So schnuckelig, aber er kriegte nicht, was er wollte ... Er sollte sich lieber ältere Freundinnen suchen, die sind nicht so verklemmt, sagte ich zu mir selbst. Ich wollte nicht, dass er mitbekam, dass ich ihn beobachtet hatte, deshalb schlich ich mich zurück ins Haus, schenkte mir einen Drink ein, schlürfte ihn vor dem Fernseher aus und schlief ein.«

* * *

Liza hing an meinen Lippen. Sie hatte sogar ihren Blazer und ihre Schuhe ausgezogen, um es sich gemütlich zu machen und mir noch aufmerksamer zuhören zu können. Sie kannte mich gut genug, um zu wissen, dass ich sie nicht auf die Folter spannte, wenn es sich nicht lohnte.

Ich erzählte mit Vergnügen weiter.

»Der nächste Tag war genauso heiß wie der vorherige. Wegen der Hitze hatte ich nicht die Energie, mich anzuziehen, und bin einfach den ganzen Tag im Badeanzug geblieben. Ich habe auf jede Anstrengung verzichtet und mich nur mit einem guten Buch in der Sonne geaalt. Hin und wieder bin ich kurz in den Pool gesprungen, der sich wirklich als eine lohnende Investition erwiesen hat.

Später an diesem Morgen sah ich meinen Nachbarn von dem Haus hinter mir. Es war der junge Mann, der angeboten hatte, sich um meinen Rasen zu kümmern und der in der Nacht zuvor so schmählich abgewiesen worden war. Er mühte sich im Garten ab, riss Unkraut aus und schnitt hier und da die Hecke ein wenig nach. Wie er sich da schweißgebadet in der Hitze abrackerte, tat er mir auf einmal Leid. Ich ging an den Zaun, der unsere Grundstücke voneinander trennt, rief nach ihm und lud ihn auf ein Bad in meinem Pool ein. Er antwortete mit einem breiten Lächeln. Beim Weggehen grübelte ich darüber nach, warum er so rot geworden war, als er meine Einladung angenommen hatte. War ich es, die so eine Wirkung auf ihn hatte, oder war es einfach nur die Hitze? Vielleicht von beidem ein bisschen, entschied ich.

Am späten Nachmittag kam er vorbei. Er hatte weite Shorts an und ansonsten nur ein Handtuch bei sich. Er begrüßte mich höflich und zögerte kurz. Ich ermunterte ihn mit einem Wink, sich keinen Zwang anzutun, und sah zu, wie er mit einem Kopfsprung ins Wasser eintauchte. Er brauchte wahrscheinlich keine zweite Einladung! Eine Weile plantschte er im Wasser herum und kam dann raus. Er war wirklich nett anzusehen; sehr groß und vielleicht ein bisschen dünn, aber seine Muskeln waren kräftig und auf dem besten Weg, noch weiter zu wachsen. Seine Haut war glatt und wunderschön golden gebräunt. Er hatte leicht feminine Gesichtszüge und war auf bestem Wege, ein unwiderstehlicher Frauenschwarm zu werden, wenn er etwas älter sein würde.

Wie alt er wohl sein mag?, fragte ich mich und versuchte zu raten, doch schließlich beschloss ich, ihn einfach zu fragen. ›Äh, neunzehn‹, erwiderte er und wurde wieder rot.«

»Das perfekte Alter«, stellte Liza verzückt fest. »Klingt so, als wäre für dich ein Traum in Erfüllung gegangen ...«

»Stimmt. Er war wirklich die Erfüllung sämtlicher Mädchenträume ... Ich bot ihm ein Bier an. Er zögerte kurz und nahm das Angebot dankbar an. Als ich mit den Getränken aus dem Haus kam, saß er mit dem zerknitterten Handtuch auf dem Schoß auf der Kante seines Stuhls. Ich reichte ihm sein Bier, genehmigte mir selbst einen tiefen Zug und sprang in das erfrischende Wasser. Als ich mich ein bisschen abgekühlt hatte, verließ ich erwartungsvoll den Pool und setzte mich neben ihn. Ich lächelte ihn zufrieden an und fragte: ›Also gehen Sie noch zur Schule, oder?‹

Sean antwortete nicht sofort. Da er eine Sonnenbrille aufhatte, konnte ich seine Augen nicht sehen, aber ich glaube, er linste in meinen Ausschnitt. Als ob er plötzlich aus einer Umnebelung erwachte, zerknitterte er das Handtuch auf seinem Schoß noch mehr und stammelte: ›Äh, nein. Vielleicht gehe ich irgendwann wieder hin, aber im Moment will ich lieber arbeiten. Meine Mum findet das gar nicht gut ...‹

›Haben Sie eine Freundin?‹, fragte ich ihn.

›Ich hatte eine – bis gestern Abend. Es gab ein kleines Missverständnis, und ... sie hat es mir übel genommen.‹

Ich bohrte lieber nicht weiter. Er war noch nicht so weit, sich mir anzuvertrauen; er kannte mich ja kaum. Aber ich starb vor Neugier.

›Sie finden bestimmt schnell eine Neue, wenn man so gut aussieht wie Sie ...‹

Sean errötete unter seiner gebräunten Haut, aber er rang sich ein Lächeln ab.

›Ich weiß. Aber ich muss mich wohl damit abfinden, dass es immer auf das gleiche rasche Ende hinausläuft. Vielleicht bin ich zu ungeduldig, wenn Sie verstehen, was ich meine ...‹

›Ich will Sie ja nicht entmutigen, aber das bessert sich auch mit zunehmendem Alter nicht unbedingt ...‹

›Und Sie? Sind Sie verheiratet? Entschuldigen Sie, was stelle ich denn da für Fragen ...‹

›Ist schon in Ordnung, fragen Sie ruhig, was Sie wollen! Nein, ich bin nicht verheiratet, und ich denke auch nicht, dass sich das so schnell ändert. Was das Thema angeht, tut sich bei mir im Moment nicht viel.‹

›Verstehe. Ich weiß, wovon Sie sprechen.‹

Wir saßen noch eine Weile schweigend da, tranken unser Bier, und dann stand Sean auf, bedankte und verabschiedete sich. Ich sah ihm nach und rief ihm hinterher: ›Kommen Sie vorbei, wann immer Sie wollen. Nur keine falsche Zurückhaltung!‹ Ich konnte nicht anders, als seinen jungen knackigen Körper zu bewundern, diese langen Arme und Beine, die im Laufe der Jahre voller und kräftiger werden würden. Ich versuchte, mich an meine Freunde zu erinnern, mit denen ich in seinem Alter zusammen gewesen war, und unterdrückte ein lang anhaltendes Kribbeln. Ach, hätte ich doch bloß damals schon gewusst, wie glücklich ich mich schätzen konnte! Alles war so viel unkomplizierter als heute. Es war die Zeit der großen Entdeckungen und der atemberaubenden Offenbarungen gewesen – sowohl in physischer als auch in emotionaler Hinsicht. Die ersten Zärtlichkeiten hinter einem Busch. Das erste Mal, dass du dir der fast grenzenlosen Macht bewusst wirst, die du als Frau über die Männer hast. Die Gefahren, die Dinge, die du lieber lassen solltest, das Getratsche deiner Mitschülerinnen … Ach, was für eine herrliche Zeit!

Sean durchlebte vermutlich gerade genau diese Phase und erkundete seine stürmisch nach Befriedigung drängende Sexualität. Doch seinen Bemerkungen zufolge war er dabei bisher noch nicht besonders erfolgreich gewesen. Ich dachte, dass ich ihm vielleicht ein wenig behilflich sein und ihm ein paar gute Ratschläge erteilen sollte. Mit neunzehn war es für ihn höchste Zeit, in die Geheimnisse der Liebe eingeführt zu werden! Er war bereits dabei, das Beste, was das Leben zu bieten hat, zu verpassen!«

»Das kannst du wohl sagen!«, stimmte Liza mir zu. »Wenn man bedenkt, wie kurz die sexuell aktive Zeit von Männern im Durchschnitt ist, haben sie keine Minute zu verlieren!«

»Am Freitag war es nicht mehr so heiß wie an den vorherigen Tagen, weshalb ich die Gelegenheit zu einem kleinen Abendspaziergang durch meine Nachbarschaft nutzte. Ich genoss die Ruhe in den gepflegten kleinen Straßen und die beschauliche Stimmung, sog den Duft der zahlreichen Blumen und Bäume ein und lauschte dem Gezirpe der Grillen und Zikaden. Als ich um eine Ecke bog, sah ich den mir wohl bekannten, mit Gartengeräten voll gestopften Van. Drinnen saßen ein junger Typ, von dem ich annahm, dass es Sean war, und eine junge Frau. Ich versteckte mich im Schatten eines Baumes.

Von meinem Platz aus sah ich im Schein der Straßenlaternen ganz deutlich die Umrisse des Paars. Es küsste sich heiß und innig. Sean hatte die Arme um die Schultern des Mädchens gelegt, das zumindest aus der Entfernung einen sehr willigen Eindruck machte. Es zog seine Jacke aus. Ich lächelte. Diesmal schien mein junger Freund auf seine Kosten zu kommen! Reglos verharrte ich an meinem Platz und sah den beiden zu. Plötzlich machte sich das Mädchen von ihm los, zog sich hastig die Jacke an, riss die Autotür auf und rief: ›Es ist unsere erste Verabredung, und du willst mir schon an die Wäsche! Und was bleibt uns dann noch in einer Woche? Was soll's! Du wirst es nie erfahren!‹

Mit diesen Worten stürmte sie davon, eher wütend als verletzt. Ich sah ihr nach, verließ mein Versteck und setzte meinen abendlichen Spaziergang fort. Sean sollte nicht wissen, dass ich die ganze peinliche Vorstellung beobachtet hatte. Ich ging an dem Lieferwagen vorbei, der immer noch am gleichen Platz stand, zögerte kurz und trat an die Fahrertür.

Sean saß reglos hinter dem Steuer und rauchte eine Zigarette. Er schien überhaupt nicht zu begreifen, was ihm soeben widerfahren war. Möglicherweise war er auch völlig entmutigt. Als er mich sah, winkte er mir kurz zu. Ich sprach als Erste.

›Sie schien nicht unbedingt bester Laune gewesen zu sein ...‹

›Was Sie nicht sagen! Gibt es sonst irgendetwas Neues?‹

›Sie scheinen auch nicht gerade in Hochstimmung. Wollen Sie darüber reden? Wir könnten doch irgendwo ein Bier zusammen trinken.‹

›Gute Idee. Ein Bier wäre jetzt genau das Richtige. Steigen Sie ein!‹

Ich stieg in den alten Van, und wir fuhren ein paar Blöcke weiter zu einer kleinen Kneipe, in der wir uns gleich einen großen Krug bestellten. Bevor ich etwas einwenden konnte, hatte Sean schon bezahlt. Ich versuchte, ihn zum Reden zu bringen. Er erzählte mir, es sei immer das Gleiche: Er lerne ein Mädchen kennen, das ihm gefalle, bringe es dazu, mit ihm auszugehen, und dann vermassle er alles. ›Ich gehe einfach immer zu schnell zu weit! Gar nicht mit Absicht, es überkommt mich einfach so.‹

Ich versuchte, ihm zu erklären, dass das für Jungen in seinem Alter ganz normal sei, und legte ihm nahe, sich vielleicht lieber etwas ältere Freundinnen auszusuchen. Er platzte heraus: ›Aber für die Frauen, die ich brauche, bin ich viel zu jung! Was wollen die Mädchen denn eigentlich? Erst tun sie so, als ob sie auf dich stehen, dann fasst du sie an – und rums, wollen sie nichts mehr von dir wissen.‹

Ich brachte ihn dazu zuzugeben, dass er diese Art Rückschlag schon öfter erlebt hatte, und bei der Gelegenheit erfuhr ich, dass er noch nie …«

»Noch nie was …?«, fiel mir Liza ins Wort.

»Noch nie mit einer Frau geschlafen hatte.«

»Du nimmst mich auf den Arm … mit neunzehn! Was für ein Wunder. Zu unglaublich, um wahr zu sein. Und wie hast du es geschafft, nicht an Ort und Stelle über ihn herzufallen?«

»Sehr witzig! Aber, ja, ich war in der Tat überrascht, allerdings habe ich es mir nicht anmerken lassen. Er erzählte mir, er sei bis vor kurzem zu schüchtern gewesen, um Mädchen anzubaggern, und dass er das, was er verpasst habe, nun unbedingt nachholen wolle. Ihm sei klar, dass das erste Mal etwas ganz Besonderes sei – wunderbar und sehr wichtig …

Ich wechselte lieber schnell das Thema, damit ich nicht womöglich tatsächlich über ihn herfiel … du hast das schon ganz richtig gesehen. Doch je mehr ich über sein Geständnis nachdachte, desto mehr törnte es mich an. Er hatte noch nie mit einer Frau geschlafen! Und ich dachte, die Jugend wäre heutzutage so frühreif! Aber es gibt eben immer Ausnahmen. Ich wollte ihm helfen, deshalb grübelte ich über sein unglaubliches Geständnis nach, das er mir da gemacht hatte. Vielleicht, kam es mir in den Sinn, sollte ich ihm anbieten, ihn in die Freuden der Lust einzuführen?

Schließlich war ich Single, und es versprach durchaus ganz spaßig zu werden. Wir würden beide auf unsere Kosten kommen! Die Idee war so interessant, dass ich sie ernsthaft in Erwägung ziehen wollte … allerdings später, zu Hause, wenn ich etwas klarer denken konnte.«

»Letztendlich konntest du der Versuchung nicht widerstehen, habe ich Recht?«

»Geduld, Geduld! Wir haben uns noch drei Stunden über dies und das unterhalten, und dann hat Sean mich nach Hause gebracht! Als wir uns voneinander verabschiedeten, hatte ich mich bereits so gut wie entschieden, aber ich wollte ihn noch nicht wissen lassen, was ich vorhatte. Ich drückte ihm einen flüchtigen Kuss auf die Wange und stieg aus dem Wagen. Bevor er weiterfuhr, versprach er noch, am nächsten Tag wie vorgesehen bei mir vorbeizukommen und meinen Garten zu machen.

An diesem Abend packte ich Daves Gürtel weg und fing an, über die vor mir liegende Aufgabe nachzudenken. Wie sollte ich am besten vorgehen? Ich hatte nicht den geringsten Zweifel, dass er sich zu mir hingezogen fühlte. Meinen Sexappeal hatte ich schließlich noch nie unterschätzt, und ich fing auch jetzt nicht an, an meiner Attraktivität zu zweifeln. Die Natur hat es gut mit mir gemeint, und ich habe immer darauf geachtet, meinen Körper in Form zu halten. Wie auch immer – der Beule nach zu urteilen, die er ein paar Tage zuvor unter seinem Handtuch zu kaschieren versucht hatte, war es ganz offensichtlich, dass er auf mich stand. Welcher junge Mann konnte schließlich dem Charme und dem Verlangen einer Frau wie mir widerstehen – auch wenn ich inzwischen über dreißig bin?«

»Die meisten konnten dir nicht widerstehen!«, rief meine Freundin. »Ich kenne jedenfalls keinen.«

»Siehst du! Und das sollte sich auch nicht ändern. Ich hatte mehrere Möglichkeiten zur Wahl. Ich konnte ihn jederzeit wie in einem billigen Pornofilm unter irgendeinem Vorwand ins Haus locken und dann meine verführerischen Kurven in all ihrer Pracht enthüllen. Oder ich konnte es ein bisschen subtiler angehen und ihn meine Absichten erahnen und selber initiativ werden lassen. Doch auf diesem Weg würde es eindeutig länger dauern, und so wie die Dinge lagen, hatte er es nicht verdient, noch mehr Zeit zu vergeuden. Also entschied ich mich für die erste Variante, die eindeutig die direktere war. Natürlich war dadurch alles vorhersehbar, aber auf diese Weise hat es noch immer funktioniert, und vielleicht blieb das Ganze einem jungen Typen wie Jean ja so auch nachdrücklicher in Erinnerung.«

»Und dir auch, gib es doch zu!«

»Stimmt. Mir auch. Also habe ich den Morgen damit zugebracht, alles bis ins Detail vorzubereiten. Als ich selber noch ein Teenie war, erinnere ich mich, dass unter den jungen Kerlen die wildesten Fantasien über ältere Frauen kursierten. Wenn das bei Sean auch der Fall war, sollte er sein blaues Wunder erleben. Ich wählte meinen silbernen Bikini mit dem knappen Oberteil, das meine üppigen Brüste kaum verdeckt, dann stylte ich mein langes blondes Haar zu einer wilden Mähne, legte Parfüm auf und zog meine Sandaletten mit den höchsten Absätzen an, in denen meine Beine noch länger wirken. Dazu trug ich ein bisschen Make-up auf und schminkte mich jünger, damit er nicht ganz so aufgeregt sein würde. Als ich mit allem fertig war, ließ ich mich auf meiner Liege nieder, setzte meine Sonnenbrille auf und vertiefte mich in einen Roman.«

»Der arme Kerl. Da hast du dich ja wirklich mächtig ins Zeug gelegt.«

»Das kann man wohl sagen, und mir war ziemlich schnell klar, dass meine Vorbereitungen von Erfolg gekrönt sein würden. Sean kam kurz vor Mittag bei mir vorbei. Als er mich sah, vergaß er für ein paar Sekunden zu atmen. Was für ein Anblick! Ich ließ ihn seine Gartenarbeit machen und tat so, als würde ich ihn nicht beachten. Zwischendurch sprang ich immer mal wieder in den Pool, damit er ausreichend Gelegenheit hatte, meinen fast nackten Körper zu bewundern. Allem Anschein nach war er benommen, und seiner Arbeit war das deutlich anzusehen. Als er mit Rasenmähen fertig war, fragte ich ihn, ob er schon etwas zu Mittag gegessen habe. Er schien meine Fürsorge zu schätzen, und so machte ich ihm ein Sandwich und brachte es ihm zusammen mit einem kalten Bier nach draußen in den Garten. Gesättigt und gestärkt ging er wieder an die Arbeit, wobei er genauso unkonzentriert war wie zuvor. Durch meine Sonnenbrille ertappte ich ihn, wie er mich unentwegt angaffte. Mein Plan schien wie geschmiert zu funktionieren. Als er die Hecken zurechtgeschnitten hatte, lud ich ihn ein, sich ein kurzes Bad zu gönnen, und er ließ sich nicht zweimal bitten. Er zog seine Jeans aus – darunter trug er Badeshorts – und sprang in das einladende Wasser. Ich ließ ihn ein bisschen herumplantschen, dann schlenderte ich ganz lässig ebenfalls an den Rand des Pools. Sean starrte mich an.

Der arme Junge wirkte ziemlich durcheinander. Langsam stieg ich die Leiter hinab, als ob ich mich erst an die Temperatur gewöhnen müsste. Als ich schließlich ganz im Wasser war, schwamm ich ein paar Züge und gesellte mich dann zu ihm an den Beckenrand. Während ich mich hinter ihm vorbeischob, strich ich wie aus Versehen mit meinen Brüsten über seinen gebräunten Rücken und streifte sanft mit meinen Oberschenkeln seinen Hintern. Er zuckte zusammen, als ob ihn etwas gestochen hätte, doch er blieb an seinem Platz. Ich ließ ihn dort zurück, schwamm auf die andere Seite, stieg aus dem Wasser und legte mich hin. Dann trat ich in Aktion. ›Ich wollte Sie um etwas bitten …‹, begann ich. ›Ich habe ein paar Kisten im Schrank, die ich gern in mein Schlafzimmer schaffen würde, aber für mich sind sie ein bisschen schwer. Könnten Sie mir vielleicht beim Tragen helfen?‹

Ich sagte mir, wenn er immer noch nicht geschnallt hatte, was ich von ihm wollte, musste er wirklich ein bisschen schwer von Begriff sein. Doch zu meiner Erleichterung erklärte er sich gerne bereit, mir zur Hand zu gehen. Er strahlte über das ganze Gesicht und warf einen verstohlenen Blick zwischen seine Beine. Offenbar zufrieden mit dem Stand der Dinge, stieg er aus dem Wasser, trocknete sich schnell ab und bedeutete mir, dass er bereit sei. Armes Jüngelchen, sagte ich mit einem zufriedenen Lächeln zu mir selbst. Wenn du wüsstest, worauf du dich da einlässt.«

»Ich kann mir dein Gesicht bestens vorstellen«, kommentierte Liza. »Ich habe schon öfter gesehen, wie du in solchen Momenten aussiehst – kurz bevor du dich auf irgendein wehrloses Opfer stürzt.«

»Wehrlos vielleicht, aber nicht ohne eine ganz spezielle Waffe! Ich führte ihn in das Zimmer, das ich als Büro nutze, und zeigte auf ein paar Kisten, die im Schrank auf einem der Regalbretter gestapelt waren. Er nahm eine heraus und wartete auf weitere Anweisungen. Ich ging vor, bedeutete ihm, mir zur Treppe zu folgen, und stieg die Stufen bewusst langsam hoch, damit seine jungen Augen ausreichend Gelegenheit hatten, meine ansehnlichen Hüften zu bewundern. Als wir oben waren, führte ich ihn in mein Schlafzimmer. Ich spürte seinen Blick auf mir und war vor Vorfreude ganz kribbelig. Ich nahm einen Stuhl, stellte ihn vor den geöffneten Schrank, stieg hinauf und schaffte Platz für die Kiste. Dann wandte ich mich um, um diese Kiste entgegenzunehmen. Dabei beugte ich mich tief zu ihm hinab, damit er möglichst viel von meinen Brüsten zu sehen bekam. Sein Adamsapfel trat hervor und drohte seinen sowieso schon schwer gehenden Atem endgültig zu ersticken. Als ich mich umdrehte, um die Kiste abzustellen, bückte ich mich, streckte meinen Hintern weit raus und strich ihm damit übers Kinn. Dann verpasste ich ihm den Gnadenstoß, indem ich ihn bat, mir herunterzuhelfen …

Ich stützte mich auf seine Schultern, ließ mich an seinem Körper hinabgleiten und landete in seinen Armen. Der Körperkontakt ließ einen angenehmen warmen Schauer durch mich hindurchströmen. Da Sean angesichts dieser für ihn völlig überraschenden Situation wie gelähmt war, nahm ich seine Hände, führte sie über meinen Körper und legte sie auf meine prallen Brüste. Er zitterte beinahe – der arme Junge! Dann führte ich seine Finger zum Verschluss meines Bikinioberteils, das nur von einer winzigen Schnalle zusammengehalten wurde, und half ihm, den Verschluss zu öffnen. Im gleichen Moment waren meine Brüste nackt. Jetzt musste ich ihm nicht weiter die Hand führen. Er berührte mich zärtlich und ließ seine Hände kaum spürbar über meinen hellen Körper gleiten. Wie mir schien, wartete er auf irgendein Zeichen von mir, dass es mir mit meinem Annäherungsversuch ernst war. Also küsste ich ihn liebevoll und ließ meine Zunge in seinem heißen Mund kreisen. Um ihm den letzten Zweifel zu nehmen, streifte ich meine knappe Bikinihose ab und schob meinen Oberschenkel zwischen seine langen Beine.«

»Du hast ihm keine Wahl gelassen!«, rief Liza und tat entrüstet.

»Natürlich nicht! Und ich kann dir sagen – seine Erektion war wirklich eine Wonne! Zum Glück hatte meine Überrumplungsaktion ihn nicht völlig außer Gefecht gesetzt. Ich forderte ihn auf, sich sofort auszuziehen. Im ersten Moment machte er keine Anstalten, doch als ich zum Bett ging und mich in einer einladenden Pose hinlegte, änderte er seine Meinung und riss sich wie von Sinnen die Kleidung vom Leib. Seine Hast veranlasste mich, aufzustehen und zu ihm zu gehen. Ich versuchte, ihn zu beruhigen, indem ich ihm zeigte, dass ich meine Meinung nicht plötzlich zu ändern gedachte und kein Grund zur Eile bestand. Er stand splitternackt vor mir, und sein Ständer war wirklich eine Wucht. Jetzt musste ich mich selbst zusammenreißen und zur Ruhe zwingen. Ich rief mir in Erinnerung, dass es sein erstes Mal war und wie schwer es ihm fallen würde, sich zu beherrschen. Aber ich konnte ihn doch auch nicht einfach so da stehen lassen! Er sah so verletzlich und unschlüssig aus und wagte nicht, sich zu bewegen, da er wohl fürchtete, aufzuwachen und festzustellen, dass alles nur ein schöner Traum gewesen war. Ich zog ihn zum Bett, umfasste seinen kleinen festen Hintern und küsste zärtlich seinen Schwanz. Dann nahm ich ihn komplett in den Mund.«

»Ah! Diese knackigen kleinen Arschbacken eines jungen Mannes ... Was für ein Genuss!« Meine Freundin bekam ganz verträumte Augen.

»Ich durfte ihn auf keinen Fall zu hart rannehmen, denn ich wollte das Ganze ja so lange wie möglich hinauszögern. Schließlich wusste ich, dass es trotz seiner guten Absichten schnell genug vorbei sein würde. Aber er schmeckte so köstlich, dass mein Mund aufhörte, mir zu gehorchen und wie von selbst diese leidenschaftlichen Bewegungen fortsetzte, an die er sich so gewöhnte, und die ihm so viel Freude bereiteten. Ich nahm ihn noch tiefer in den Mund, ließ ihn raus, nahm ihn wieder auf und lutschte noch leidenschaftlicher. Er war so steif, dass er jeden Moment zu explodieren drohte. Und ein paar Sekunden später passierte das Unvermeidliche. Er füllte meinen Mund mit seinem heißen salzigen Saft. Sein keuchender Atem ließ mich aufsehen. Sein Gesichtsausdruck verriet, dass es ihm peinlich war. Ich zog ihn zu mir und versuchte, ihn zu trösten, indem ich ihm versicherte, dass ich noch lange nicht fertig sei. Ich küsste ihn erneut und bedeutete ihm, sich neben mich zu legen. Dann schob ich ihn sanft zur Seite, um die Hände frei zu haben. Und dann habe ich etwas gemacht, liebe Liza, weshalb du wirklich stolz auf mich sein kannst ...«

»Nämlich?«

»Ich habe ihm das schönste Geschenk gemacht, das es auf der Welt gibt ... Er wird bis an sein Lebensende etwas davon haben. Ich sah ihn liebevoll an und murmelte: ›Ich gebe dir eine kleine Einführung in die Freudenzonen des weiblichen Körpers. Also pass gut auf ...‹«

Liza sah mich mit großem Respekt an. Mit meinem Einfallsreichtum und meiner Gewitztheit hatte ich sie wieder einmal überrascht und schwer beeindruckt.

»Ich ließ meine Hände über meinen weichen Körper gleiten und streichelte meine Brüste, sodass meine Nippel hart wurden. Dann bat ich ihn leise, fast im Flüsterton, die Brustwarzen mit seiner Zunge zu liebkosen und behutsam an ihnen zu saugen, aber nur ganz, ganz leicht. Als Nächstes spreizte ich meine Oberschenkel, offenbarte meine entblößte Möse und streichelte mich selbst. Ich unterbrach Sean für einen Moment in seinem Tun und wies ihn an, genau hinzusehen, was meine Finger taten. Er folgte der Aufforderung und war fasziniert. Er erwies sich als guter Schüler. Seine Augen klebten förmlich an meiner Hand, verfolgten jede Berührung, jede Bewegung. Als mein Finger schließlich in mir verschwand, konnte er nicht mehr an sich halten und wollte es mir gleichtun. Ich hatte nichts dagegen, bat ihn aber, fürs Erste sehr vorsichtig zu sein. Seine Finger machten auf wunderbare Weise nach, was sie sich von meiner Hand abgeguckt hatten. Er rieb ganz sanft die empfindlichen Stellen zwischen meinen Beinen und sah dabei äußerst konzentriert aus. Als ich das Gefühl hatte, dass er bereit war für die nächste Lektion, zeigte ich ihm die kleine Erhebung in der Mitte zwischen meinen Schamlippen. ›An dieser Stelle kannst du mich mit den richtigen Berührungen dazu bringen, vor Lust zu schreien!‹ Ich führte ihn mit all der notwendigen Geduld. ›Ja, genau hier ... vorsichtig ... nimm ein bisschen Spucke zu Hilfe, dann ist es noch besser ... Genauso. Und jetzt umspielst du den Knopf ein bisschen mit der Zunge, ganz sachte, saug ein bisschen, und jetzt leck mich überall. Ah – so ist es gut! Jetzt schieb deinen Finger rein! Ganz langsam! Rein und raus, erst langsam ... und dann schneller. Oh, ja, so ist es gut! Jetzt streichle mich wieder – so wie vorhin, aber schneller. Nicht mehr Druck ausüben, nur schneller. Ja, so ist es richtig ... Herrlich, du verzauberst mich!‹

Sean war großartig. Er besorgte es mir mit einem solchen Geschick, als hätte er sein ganzes Leben lang nichts anderes getan. Ich kostete seine Streicheleinheiten so lange wie möglich aus und versuchte das Unmögliche: meinen Orgasmus hinauszuzögern. Doch er war so ein Meister, dass ich mich schon bald nicht mehr beherrschen konnte. Ich kam so heftig wie selten zuvor, und es schien gar nicht aufzuhören. Sean sah mich besorgt an. Ich brauchte einen Augenblick, um wieder zu mir zu kommen. Dann nahm ich ihn in die Arme und versicherte ihm, dass er es mir auf wunderbare Weise besorgt hatte.«

»Na ja, das will ich doch wohl auch hoffen!«, warf Liza ein. »Das macht mich ganz neidisch! Meinst du, dein Sean würde gern auch mal mit einer anderen Frau üben?«

»Vielleicht. Das musst du ihn fragen und nicht mich ... Jedenfalls merkte ich in dem Moment, dass er sich schon wieder vollkommen erholt hatte. Sein Schwanz war steinhart und drückte gegen meine Muschi, die immer noch leicht nachbebte ...«

»Da kann man mal wieder sehen, was ein junger knackiger Körper zu bieten hat!«

»Und es gibt so viele davon! Um ihn zu belohnen, bat ich ihn, sich auf den Rücken zu legen, und küsste sein weiches Gesicht und seinen schönen Körper. Diesmal allerdings ließ ich seinen Schwanz links liegen. Ich wollte ihm endlich das geben, worauf er schon so lange gewartet hatte …

Ich hockte mich auf ihn und ließ ihn in mich eindringen. Er schrie kurz auf und versuchte, sich in mir zu bewegen, doch ich bremste ihn und stemmte mich ein wenig hoch, sodass ich nur noch die äußerste Spitze seiner Eichel in mir spürte. Er schien sofort zu verstehen, was ich wollte, und überließ mir die Führung. Ich ließ mich ganz langsam runter, Zentimeter für Zentimeter, spannte dabei die Muskeln meiner Vagina an und massierte ihn auf diese Weise. Dann bewegte ich mich ein bisschen schneller. Ich wollte ihm einen Vorgeschmack auf das geben, was ihn noch erwartete. Er schrie wieder auf und sah mich erstaunt an. Ich massierte ihn noch eine Weile weiter, dann stand ich auf und bat ihn, sich vor mir hinzu- knien. Er kam meinem Wunsch sofort nach. Ich wandte ihm den Rücken zu, hockte mich auf alle viere und hielt ihm mei- ne blanke Möse hin. Diesmal sollte er selber die Initiative er- greifen dürfen. Unfähig, auch nur eine Sekunde länger zu war- ten, drang er mit einem kräftigen Stoß in mich ein. Er packte mich bei den Hüften und gab alle Vorsätze auf, sich zurückzu- halten. Er vögelte mich heftig und wie von Sinnen, und im allerletzten Moment zog er seinen Schwanz raus und duschte meinen Po mit seinem Sperma. Kaum war er fertig, fiel er zu- rück aufs Kissen und starrte mich mit weit aufgerissenen Au- gen an. Es kam mir vor, als ob er sich in einer Art Schockzu- stand befände. Doch dann huschte ein Lächeln über sein junges Pfirsichhaut-Gesicht.

Ich kuschelte mich an ihn und fragte ihn, ob es so gewesen

sei, wie er es sich vorgestellt habe. ›Tausendmal besser!‹, rief er, immer noch völlig perplex, und zog mich ganz eng zu sich heran. Nach einer Weile atmete er wieder normal und schlief schließlich tief und fest ein.«

* * *

Liza war blass vor Neid. Sie versuchte, ihre Gedanken zu ordnen und sich daran zu erinnern, warum sie eigentlich zu mir gekommen war. Doch als Erstes wollte sie wissen, wie es weitergegangen war.

»Dieses erste Mal war für meinen jungen Freund eine regelrechte Offenbarung. Doch er schien es gar nicht fassen zu können, was ihm da widerfahren war. Offenbar befürchtete er, ich würde ihn abweisen und seine Einführung in die Kunst der Liebe für beendet erklären, wenn er sich mir noch einmal anzunähern versuchte. Deshalb hielt er sich ein paar Tage von mir fern. Ich für meinen Teil fing an zu glauben, dass unser Abenteuer ihn lediglich ermutigt hatte, nun auf eigene Faust weitere Erfahrungen zu sammeln. Vielleicht war das ja das Beste … Doch irgendetwas in mir verlangte danach, ihn wieder zu sehen, und wenn es nur mein Drang war, meine Fähigkeiten als Liebeslehrerin noch einmal bestätigt zu finden.

Vier Tage nach unserem Abenteuer traf ich ihn zufällig auf der Straße. Als er mich sah, wurde er rot wie eine Tomate und schien nicht recht zu wissen, wie er mir begegnen sollte. Ich schenkte ihm mein hinreißendstes Lächeln, küsste ihn auf die Wange und fragte ihn, warum er mich nie besuchen komme. Er erwiderte, er wolle nicht aufdringlich sein. ›Du hast doch bestimmt andere Männer. Das mit mir war doch sicher nur eine einmalige Sache, oder? Vielleicht habe ich dir Leid getan oder etwas in der Art.‹ Ich stellte ein für alle Mal klar, dass ich es nur aus einem einzigen Grund getan hatte – weil ich es selber wollte. Dann versicherte ich ihm noch einmal mit Nachdruck, dass ich bei unserem letzten Treffen genauso auf meine Kosten gekommen sei wie er, und legte ihm nahe, doch noch einmal bei mir vorbeizukommen. Ich lud ihn für etwas später am gleichen Tag zu mir ein, und er sagte mit Freude zu.

Am frühen Abend stand er vor meiner Tür. Ich machte uns Hamburger, und wir unterhielten uns. Es war ein sehr warmer Abend, und als es dunkel wurde, schlug ich vor, dass wir uns im Pool ein wenig abkühlen könnten. Ich zog mich vor seinen Augen aus und sprang ins Wasser. Sean gesellte sich zu mir. Ich drückte mich an ihn und umklammerte mit meinen Beinen seine Taille. Er war knallhart. Ich ließ mich auf dem Rücken treiben und presste meine Möse gegen seinen Schwanz. Dann schwamm ich zum Wasserstrahl und spreizte die Beine. Sean kam dazu und ergänzte die Massage des Strahls mit seiner wohl geschulten Hand. Er hatte nichts von dem vergessen, was ich ihm beigebracht hatte!

Dann schwamm er vor mich und drang hart in mich ein. Fest ineinander verankert trieben wir sanft auf dem Wasser. Ich musste mich nur am Rand des Pools festhalten und mich über ihm treiben lassen; unsere Körper waren im Wasser schwerelos. Nach einer Weile schob er mich von sich weg und half mir aus dem Pool. Wir legten uns nebeneinander ins kühle Gras, und er zog mich an sich und drang erneut in mich ein. Seine Bewegungen waren schon viel sicherer und viel gekonnter als beim ersten Mal. Diesmal besorgte er es mir ganz alleine, ohne dass ich ihm Anweisungen gab, was er tun sollte – wie ein richtig großer Junge. Es war herrlich! Er nahm mich von hinten und drang tief in mich ein, während seine Hand meine feuchte Möse streichelte und nach dem empfindlichen Punkt suchte. Ich half ihm und kam mit einem lauten Seufzer der Erlösung, was für ihn das Zeichen war, ebenfalls zu explodieren. Er blieb noch ein paar Minuten an meiner Seite liegen, dann verabschiedeten wir uns mit einem Kuss und versprachen einander, uns bald wieder zu sehen.

Sean war auf den Geschmack gekommen und hatte einen unersättlichen Appetit. Er kam zu jeder Tages- und Nachtzeit bei mir vorbei. Da ich ihn wirklich mochte, ließ ich ihn jedes Mal herein. Vor allem aber schien er ganz begierig, noch mehr von mir zu lernen ... Na ja, um ehrlich zu sein, habe ich ihm gar keine andere Wahl gelassen. Jedes Mal musste anders sein als das Mal zuvor, und mit zunehmender Praxis verstand er mehr und mehr, worauf es ankam. Es gelang ihm immer besser, seinen Orgasmus herauszuzögern und mich nach allen Regeln der Kunst zu befriedigen. Ich zeigte ihm immer neue Wege, wie man es einer Frau besorgen konnte, gab ihm komplette Kurse über den weiblichen Körper und führte ihm die vielfältigen Einsatzmöglichkeiten von ganz gewöhnlichen Vibratoren bis hin zu allen möglichen anderen Objekten vor, die wir gerade zur Hand hatten. Eines Abends überraschte er mich sogar, indem er der geplanten Lektion vorauseilte und die Initiative selbst in die Hand nahm, was ich natürlich sehr begrüßte. Er war schon eine Weile bei mir, und wir hatten zusammen eine Flasche exzellenten Wein geleert, der uns in eine angenehm euphorische Stimmung versetzt hatte. Wir waren beide nackt, und Sean begann, behutsam meinen Körper zu massieren. Er fing mit meinen Schläfen an, massierte mit kleinen kreisenden Bewegungen meinen Haaransatz und widmete sich dann meinen Schultern, die von der Gartenarbeit ein bisschen verspannt waren. Als Nächstes knetete er mit großem Appetit meine Brüste und leckte und saugte mit einer solchen Hingabe an ihnen, dass ich das Gefühl hatte, ihr Geheimnis wäre ihm schon immer bekannt gewesen, und die Kunst, sie zu verwöhnen, steckte ihm im Blut. Er spreizte meine Oberschenkel, besorgte es mir zunächst mit der Hand und nahm dann den Flaschenhals zu Hilfe, den er mehrmals in mich einführte. Dabei beobachtete er genau meine Reaktion und nahm fasziniert zur Kenntnis, dass meine Liebeshöhle dieses Vorgehen mit großer Wonne begrüßte. Später an diesem Abend führte ich ihn in die Freuden eines Fellhandschuhs ein. Ich rieb seinen Schwanz ganz langsam, damit er Zeit hatte, das weiche Fell auf seiner empfindsamen Haut zu spüren und im Rhythmus mit meinen sanften Liebkosungen zum Leben zu erwachen. Es war herrlich zuzusehen, wie sein Schwanz sich langsam aufrichtete! Er wurde größer und größer, schwoll mit jedem Herzschlag an, und ich habe jede Sekunde dieses Schauspiels in tiefen Zügen genossen.

Sean erwies sich auch als ein Meister in der Kunst des Fesselns. Er band meine Hände und Füße an den Bettpfosten fest und nahm mich, als ob er nie in seinem Leben etwas anderes gemacht hätte. Nach einigen ersten Versuchen, während derer ich eine Engelsgeduld aufgebracht hatte, wurde er ein regelrechter Experte in diesen Dingen und wusste genau, wie stark ich gefesselt werden und mit welcher Leidenschaft und Inbrunst ich genommen werden wollte. Er vögelte mich von vorn, von hinten und stieß so lange immer wieder zu, bis ich ihn anflehte aufzuhören. Was mich anging, so zeigte ich ihm als Belohnung für seine Anstrengungen mein ganzes Repertoire. Ich tanzte für ihn aufreizend auf den Möbeln, wie ich es früher für meine Nachbarn getan hatte. Es war eine ausgefeilte Show, während der ich vor einem Spiegel masturbierte und meinem jungen Liebhaber die zahlreichen Verwendungsmöglichkeiten einer Kerze demonstrierte. Ich enthüllte ihm die Geheimnisse fast schmerzhafter – aber so befriedigender! – Selbstbefriedigung und pseudo-erzwungenen Sexes. Er fand alles umwerfend. Als ich ihm das erste Mal erlaubte, mich mit Gewalt zu nehmen, musste ich ihm viermal erklären, dass es genau das war, was ich wirklich wollte. Ich ließ ihn mich schlagen, mich ohrfeigen und mich so heftig nehmen, dass ich noch Tage später nicht richtig gehen konnte.

Unsere leidenschaftliche Affäre lief etwa drei Wochen – drei Wochen, in denen wir es mit aller Intensität trieben, manchmal zärtlich, manchmal heftig. Inzwischen kannte ich ihn etwas besser, und ich bereitete mich auf den Moment vor, an dem ich ihm mitteilen musste, dass es nicht immer so weitergehen konnte. Irgendwann würde er schließlich ein Mädchen in seinem Alter finden und lieben lernen. Bei diesem Mädchen durfte er nicht so überhastet vorgehen, sondern musste Geduld haben, und auch das lehrte ich ihn. Ich erklärte ihm, dass er seine Partnerin stets respektieren müsse und niemals etwas tun dürfe, das ihr weh tun oder sie erniedrigen könne, außer wenn sie ausdrücklich darum bitte, so wie ich es getan hatte.

Er hörte mir mit fast religiöser Inbrunst zu und nahm alles, was ich zu sagen hatte, gewissenhaft auf. Zum Glück hatte er sich nicht in mich verliebt. Zuerst hatte ich genau das befürchtet, aber er beruhigte mich, indem er mir versicherte, er erwarte nicht mehr von mir als das, was ich ihm gab, und er wisse, dass es eines Tages vorbei sein würde.

Allerdings war es dann sehr viel plötzlicher vorbei, als wir beide erwartet hatten ...«

»Aber wenn es so gut lief – warum, um alles in der Welt habt ihr es dann beendet?«, fragte Liza perplex.

»Ich habe es nicht freiwillig beendet«, entgegnete ich, »das kannst du mir glauben. Und der Grund, weshalb ich dich hergebeten habe, wird dir gleich klar werden. Eines Abends – ich wusste nicht, dass es unser letzter sein sollte – hatten wir gerade einen Rest Schokoladenmousse verspeist, das wir uns nach einem Nachmittag voller Liebesakrobatik in allen nur erdenklichen Stellungen gegönnt hatten. Wir lagen splitternackt auf dem Wohnzimmerboden und starrten beinahe verzückt den Couchtisch an. Was wir gerade gemacht hatten, würde mir noch lange in Erinnerung bleiben. Ich war erstaunt, dass der Tisch das ausgehalten hatte. Es war einfach himmlisch gewesen! Das Zimmer war das reinste Chaos, es sah aus wie nach einer Plünderung. Wir betrachteten das Durcheinander und brachen in einen unkontrollierten Lachanfall aus. In diesem Moment klingelte es beharrlich an der Tür. Ich sprang auf und zog mir meinen Morgenmantel an. Als ich aufmachte, sah ich mich zu meiner großen Überraschung zwei Polizeibeamten in makellosen Uniformen gegenüber, die mich mit Unheil verkündenden Blicken ansahen. Sie hielten mir ihre Dienstmarken hin und verkündeten:

›Miss Delaney, gegen Sie liegt eine Anzeige vor …‹

›Was ist denn los?‹, fragte ich entgeistert. In diesem Moment sah ich Seans Mutter. Sie zwängte sich zwischen den beiden Polizisten hindurch, baute sich vor mir auf und starrte mich voller Empörung, ja geradezu hysterisch an.

›Sie sollten sich wirklich schämen! So etwas mit meinem Sohn zu tun, meinem kleinen Jungen! Ich weiß, was Sie mit ihm angestellt haben, ich weiß alles! Sie sind eine widerwärtige Hure! Was fällt Ihnen ein, sich an einem siebzehnjährigen Jungen zu vergreifen, um Ihre schmutzigen Spielchen mit ihm zu treiben!‹

So, jetzt weißt du es. Sean hat mich angelogen. Und seit jenem verhängnisvollen Abend warte ich auf die Strafe. Glaubst du, du kannst mir helfen?«

Aus Satin und Spitze

Matthew entdeckte den Slip erst zu Hause. Er war wie jeden Samstagmorgen mit seiner schmutzigen Wäsche zu dem Waschsalon an der Ecke gegangen. Zu der frühen Stunde war der Salon menschenleer, und Matthew nutzte die Wartezeit und las in der neuen Zeitschrift, die er sich gekauft hatte.

Kurz, es war ein friedlicher Samstagmorgen, begleitet von der rumpelnden Waschmaschine und dem beruhigenden Summen des Trockners. Doch als er mit seinem Korb nach Hause kam und die Wäsche auskippte, die er noch nicht zusammengelegt hatte, sah er ihn: einen winzigen pinkfarbenen, mit feiner Spitze besetzten Slip aus Satin. Er schien sehr klein. Unglücklicherweise kannte er sich mit den Größen bei Damenunterwäsche nicht aus, doch er konnte sich den kleinen Hintern vorstellen, für den dieser winzige Slip bestimmt war. Der Fummel sah nicht so aus, als ob eine Mutter ihn für ihre Tochter kaufen würde …

Er wusste, dass er eigentlich zurück zum Waschsalon gehen und den Slip dort deutlich sichtbar hinterlegen sollte, damit die Eigentümerin ihn fand, wenn sie zurückkam. Doch das Höschen war so schön … Vermutlich nahm es eher irgendein einsamer Typ mit. Er dachte eine Weile darüber nach und beschloss, den Slip zu behalten – schließlich war er selber solo! Er strich mit den Fingern über den weichen Stoff, und auf einmal gingen ihm alle möglichen Visionen durch den Kopf. Vor seinem inneren Auge erschien eine ausgesprochen hübsche junge Frau mit langem schwarzem Haar, das ihr über den schmalen geraden Rücken fiel. Sie streifte den Slip über ihre endlosen seidigen Beine. Die Vorstellung ließ es ihm im Schritt ganz heiß werden, und Matthew kam zu dem Schluss, dass es an der Zeit war, die »Trockenzeit« endlich zu beenden, unter der er nun schon viel zu lange litt und an deren Entbehrungen der Slip ihn aufdringlich und schmerzlich erinnerte.

Er legte das Höschen auf einen Stuhl und änderte seine Meinung erneut. Am besten brachte er das delikate Stück doch an irgendeinem Morgen der kommenden Woche zurück in den Waschsalon. In der Zwischenzeit konnte er es herumliegen lassen, wo immer er wollte. Jedenfalls solange nicht irgendein neugieriges weibliches Wesen auf die brillante Idee kam, in sein Apartment zu platzen!

Doch die Woche ging vorüber, und Matthew hatte den Slip immer noch nicht zurückgebracht. Ihm war ziemlich schnell bewusst geworden, wie sehr es ihm gefiel, ihn auf seinem Lieblingsstuhl liegen zu sehen. Auf diese Weise hatte er jedes Mal, wenn er nach Hause kam, die Illusion, dass ihn jemand erwartete – eine Frau, die sich den Slip vielleicht gerade ausgezogen hatte und sich auf ihn freute. Was für eine erquickliche Vorstellung!

Am nächsten Samstag hatte er seinen Vorsatz, das Höschen zurückzubringen, bereits völlig vergessen, so sehr hatte er sich an dessen Anblick gewöhnt. In seinem ansonsten spartanisch ausgestatteten Apartment war es längst zu einem vertrauten Zierstück geworden, das für eine Hoffnung stand, von der er bisher nicht einmal zu träumen gewagt hatte. Erst als er seine Wäsche in die Waschmaschine stopfte, fiel ihm sein Vorsatz wieder ein. »Jetzt ist es zu spät«, dachte er. »Wenn ich eine Frau sehe, die ganz offensichtlich nach etwas sucht, kann ich es immer noch zurückgeben …«

An diesem Morgen ließ er sich Zeit. Es war zwar höchst unwahrscheinlich, dass die fragliche Frau aufkreuzte, doch er trödelte bewusst herum – man konnte ja nie wissen. Außerdem hatte er sowieso nichts Besonderes vor. Seine Bekannten fanden es ein bisschen sonderbar, dass er seine Wäsche so früh am Samstagmorgen wusch, wenn alle anderen ausschliefen. Aber Matthew war schon immer ein Frühaufsteher gewesen, und überhaupt war er mit seinen strengen Gewohnheiten in den Augen seiner Bekannten ein Sonderling. Er mochte keine Kneipen, in denen laute Musik dröhnte und alle Gäste in der Hoffnung, die Nacht nicht alleine verbringen zu müssen, aufgeplustert voreinander posierten und balzten. Nicht, dass seine Nächte voller Befriedigung wären – ganz im Gegenteil! Er durchlebte bereits den vierzehnten Monat der Enthaltsamkeit. Natürlich hatte er nicht vor, das an die große Glocke zu hängen …

Seine letzte Affäre war ein einziges Desaster gewesen. Er hatte die verhängnisvolle Idee gehabt, sich ein bisschen zu sehr für eine seiner Kundinnen zu interessieren, und das Ganze war mächtig in die Hose gegangen. Sie hatte sich zwei Monate Zeit gelassen, bevor sie ihm eröffnete, dass sie verheiratet sei. »Und ich bin immer noch sehr in meinen Ehemann verliebt«, hatte sie hinzugefügt. Ach … Vielleicht war er ja zu idealistisch, aber in seinen Augen hatte sie sich nicht gerade wie eine treu liebende Ehefrau verhalten. Aber wie auch immer, es war jedenfalls aus und vorbei. Was die sonstigen Frauen anbetraf, war er einfach zu schüchtern, und genau das war sein größtes Problem. Seine alte Freundin Jane hatte ihm »Kurse« gegeben, wie man sich einer Frau nähert, doch mehr zu ihrer eigenen Belustigung.

Jane und er hatten schon zusammen im Sandkasten gespielt und ihre Teenager-Zeit miteinander verbracht, also eigentlich fast ihr gesamtes Leben. Matthew hatte ihr Hockey-

und Baseballspielen beigebracht, im Gegenzug hatte sie ihn immer wieder allein stehenden Frauen vorgestellt. Doch sämtliche Versuche endeten in einer Katastrophe. Dabei waren die Frauen in der Regel ausgesprochen hübsch, doch irgendetwas stimmte immer nicht ganz. Vor allem konnte er nie mit den Erwartungen fertig werden, die an ihn gerichtet wurden. Allein der Umstand, mit einer Frau zum Essen auszugehen, die auf eine dauerhafte Beziehung aus war, bereitete ihm ein derartiges Unbehagen, dass er völlig hilflos war und nicht mehr wusste, was er tun sollte. Er fühlte sich in die Ecke gedrängt, da von ihm erwartet wurde, sich zu verstellen und nicht mehr er selbst zu sein. All das, was man in so einer Situation tun und sagen musste, war viel zu kompliziert! Er hatte es Jane schon x-mal zu erklären versucht, doch sie weigerte sich hartnäckig, ihn zu verstehen.

Doch was ihr Hockey-Spiel anging, hatte sie eindrucksvolle Fortschritte gemacht. Nicht schlecht für eine Frau! Er hatte Schwierigkeiten, in ihr etwas anderes zu sehen als den Wildfang aus ihren Kinder- und Teenager-Tagen. Sie war recht hübsch, doch ihr Sporteifer rückte ihre Weiblichkeit etwas in den Hintergrund. Er selbst hatte ihren Reizen nie wirklich Beachtung geschenkt und sich stattdessen darauf beschränkt, ihr zu erzählen, was er von ihren diversen Freunden hielt. Er liebte sie eher wie eine Schwester. Wenn er doch bloß einmal eine Frau wie sie kennen lernen würde! Na ja, zumindest fast wie sie …

Genau dieser Gedanke ging ihm durch den Kopf, als der Trockner stoppte. Schnell warf er seine Wäsche in den Korb und ging nach Hause. Seine jüngsten Überlegungen hatten es ihm ein wenig schwer ums Herz werden lassen. Zu Hause zog er sich seine Baseball-Kleidung an. Jane wollte ihn jeden Moment abholen.

* * *

Um zwei Uhr nachmittags brachte sie ihn zurück nach Hause. Nach der Anstrengung an der frischen Luft waren sie völlig ausgehungert. Er schlug vor, schnell etwas zu essen herzurichten und es dann in den Park mitzunehmen.

»Während du uns etwas zu futtern machst, lege ich deine Sachen zusammen.«

»Nein, lass nur ... Das kann ich auch selber machen, wenn ich zurück bin.«

»Ich sehe deine Unterhosen und Socken nun wirklich nicht zum ersten Mal!«

Schließlich fehlte nur noch etwas zu trinken. Er nahm gerade eine Flasche Apfelsaft aus dem Kühlschrank, als er spürte, dass er nicht allein in der Küche war. Jane hatte sich in der Tür aufgebaut; an ihrem Finger baumelte ein exquisiter pinkfarbener Satin-Büstenhalter. Sie sah in mit einem spitzbübischen Lächeln an.

»Verheimlichst du mir etwas?«

»Nein! Wo hast du den denn gefunden?«

»In deinem Wäschekorb, du kleiner Geheimniskrämer. Nun komm schon, erzähl es mir. Du willst doch wohl nicht etwa anfangen, deine Affären vor mir zu verbergen – wo du so selten mal eine hast!«

»Aber ich schwöre ... Moment mal, zeig mal her.«

Er nahm den BH und betrachtete ihn von allen Seiten.

»Hör auf, dich dumm zu stellen! Also – wem gehört er?«

»Nun wart's doch ab!«

Er ging zu dem Stuhl, um den wohl bekannten Slip zu holen, doch dann fiel ihm ein, dass er ihn ein paar Tage zuvor woanders hingelegt hatte. Als er zurückkam, sah er sofort, dass der Slip und der BH zusammengehörten.

»Das ist ja unglaublich!«

»Wenn du mir partout nicht erzählen willst, was hier vorgeht, erfinde wenigstens irgendwas ...«

»Als ich letzten Samstag vom Waschsalon nach Hause kam, habe ich diesen Slip zwischen meinen Sachen gefunden. Ich wollte ihn eigentlich heute Morgen zurückbringen, habe ihn aber vergessen. Und jetzt das!«

»Ha, ha«, entgegnete sie ungläubig.

»Ich schwöre es! Wirklich unglaublich, dass jetzt beides bei mir gelandet ist. Was für ein ungeheuerlicher Zufall!«

»Das kann man wohl sagen. Wenn du es wirklich für einen Zufall hältst …«

An diesem Punkt endete die Diskussion. Er hatte nicht die Absicht, sich ein Bein auszureißen, damit sie ihm glaubte. Sollte sie doch glauben, was sie wollte. Und schon gar nicht wollte er eingestehen, dass er sich entschieden hatte, den Slip zu behalten. Schließlich hatte er den Entschluss gar nicht bewusst gefasst, es war einfach so passiert.

Den Ausschlag hatte ein Tagtraum gegeben, den er am Mittwoch oder Donnerstag gehabt hatte, er erinnerte sich nur noch vage. Er hatte vor dem Fernseher gesessen, wie an jedem normalen Tag, als seine Hand unbewusst nach dem Satin-Slip gegriffen hatte. Er hatte sich ausgemalt, wie er reagieren würde, wenn die hübsche schwarzhaarige Frau, der der Slip in seinen Träumen gehörte, vor seiner Tür stünde und ihr delikates Wäschestück zurückverlangte.

Langsam hatte die Geschichte vor seinen Augen Gestalt angenommen. Die Fremde war nicht nur gekommen, um ihren Besitz entgegenzunehmen und unversehens wieder zu verschwinden. Weit gefehlt! Ohne ein Wort zu sagen, zog sie sich zum Rhythmus irgendeiner unhörbaren Musik mit präzisen und anmutigen, durch und durch sinnlichen Bewegungen vor ihm aus. Als sie bis auf ihren BH nackt war, schlüpfte sie in den sexy Slip und sah Matthew mit einem verführerischen Lächeln an. Doch dabei beließ sie es nicht! Sie nahm das winzige Spitzenhöschen an beiden Seiten, zog es hoch über ihre runden Hüften, schob ihre schlanken Finger unter den weichen Stoff und ließ sie ganz langsam nach unten wandern, tiefer und tiefer. Wie hypnotisiert sah er zu, wie ihre langen Fingernägel in ihrem schwarzen Schamhaar verschwanden, das ihm schon vorher ins Auge gefallen war, und malte sich aus, wie sie mit geübten Bewegungen ihre feuchte Liebesspalte stimulierten. Damit er die Show voll auskosten konnte, spreizte die Schönheit schließlich die Beine, zog das Höschen zur Seite und bot Matthew ihre glänzende Möse dar, deren süße Säfte ihm köstlich in die Nase stiegen. Mit einem geübten Finger fuhr sie über ihre angeschwollenen Schamlippen, übte ein wenig Druck aus und ließ ihn in die weichen Tiefen ihrer feuchten Liebeshöhle eintauchen.

In diesem Moment konnte Matthew nicht mehr an sich halten. Er öffnete seine Hose und ließ sie auf seine Füße fallen. Dann nahm er den verführerischen Slip und streichelte mit dem weichen Stoff seinen Bauch und seine Oberschenkel, wobei er weiterhin seiner Verführerin zusah, die sich den Endzügen eines leidenschaftlichen Orgasmus hingab. Ohne sich dessen bewusst zu sein, hatte er selber Hand an sich gelegt und machte weiter, bis der Slip mit seinem Saft getränkt war und er keuchend vor Erregung aus seinem Tagtraum erwachte und frustrierter war denn je.

Nach diesem Erlebnis hatte für ihn festgestanden, dass er den Slip auf keinen Fall zurückbringen würde. Er hatte ihn vorsichtig gewaschen, fast liebevoll, und anstatt auf seinem Lieblingsstuhl hatte der Slip seinen Ehrenplatz fortan in seinem Bett. Er war sein kleines Geheimnis. Und jetzt hatte er auch noch den Büstenhalter …

Jane war nach wie vor überzeugt, dass er eine neue Affäre hatte und ihr wegen seiner legendären Schüchternheit nichts davon erzählte. Sie wirbelte durch sein Apartment und hielt den BH ausgestreckt vor sich, wobei sie spöttisch grinste.

»Gehen wir jetzt in den Park und essen, oder was?«

* * *

An diesem Abend beschloss Matthew, Jane und die anderen Mannschaftskameraden aus dem Hockeyteam nicht zu begleiten, die nach dem Spiel noch tanzen gehen wollten. Es war schon spät, und er hatte seine übliche Samstagabendration an Bier bereits intus. Jane zog ihn damit auf, dass er offensichtlich eine geheime Verabredung habe und seinen Freunden die delikaten Details seiner Affäre vorenthalten wolle … Die anderen löcherten ihn mit Fragen, bis er schließlich nach Hause ging. Er war ziemlich sauer auf Jane. Da er noch nicht wirklich müde war, machte er das Radio an und beschloss, noch ein bisschen in einer Zeitschrift zu blättern.

Er ließ sich aufs Sofa plumpsen und spürte irgendetwas unter sich. Als er unter sein Gesäß langte, um nachzusehen, was es war, hielt er den wunderschönen Büstenhalter in der Hand. In seinem Zustand war das genau das Richtige. Er hielt ihn vorsichtig vor sich und versuchte, sich die Größe und Form der Brüste vorzustellen, für die er geschaffen war. In seiner Vorstellung waren sie eher klein, aber fest, und die Nippel in der Farbe von Milchschokolade dehnten den feinen Stoff und schimmerten leicht durch. Er holte den Slip, legte ihn zu dem BH aufs Sofa und malte sich den Körper der Frau aus, zu dem dieses delikate Ensemble passte.

Sie war schlank und zierlich und hatte eher dezente als übermäßig ausgeprägte Kurven. Oh, inzwischen kannte er sie schon ganz gut! Jedenfalls hatte er ein immer deutlicheres Bild von ihr vor Augen. Sie kleidete sich bewusst feminin und bevorzugte ausgewählte elegante Kleidung und hohe Absätze, die sie größer erscheinen ließen. Normalerweise steckte sie ihr Haar zu einem lockeren Knoten auf, den er mit größter Wonne löste, um ihre langen schwarzen Locken herabfallen zu lassen.

Erneut erschien sie vor seinen Augen; diesmal hatte sie die Finger provozierend an den Knöpfen ihres Kleides. Würde sie es wirklich tun? Dann plötzlich – *voilá!* – enthüllte sie erst ihren Ausschnitt und dann ihre Brust. Der pinkfarbene Büstenhalter hob sich deutlich von ihrem blassen Teint ab. Ihr hautenges Kleid glitt langsam hinab und enthüllte ihren flachen Bauch bis hin zu dem feinen Spitzenbesatz ihres winzigen Slips.

Ihre Beine steckten in langen feinen Strümpfen, die sie jedoch noch anbehielt. Matthew streichelte bereits seit einer Weile seinen Schwanz, der sich angesichts der ihm präsentierten Show zu voller Größe aufgerichtet hatte. Seine Hand arbeitete immer schneller. Die junge Frau massierte durch den feinen Stoff ihre Brüste, dann streifte sie den BH ab und hielt sie Matthew hin, der sie streichelte und mit dem Mund liebkoste. Ihre Brüste fühlten sich weich und fest an, genau so, wie er sie sich vorgestellt hatte. Er bedeckte sie mit Küssen, nahm die aufgerichteten Nippel in den Mund und leckte und saugte leidenschaftlich daran. Ihr schwarzes Haar fiel über ihren anbetungswürdigen Busen und ließ die junge Schönheit noch unwirklicher und traumartiger erscheinen. Inzwischen waren sie auf dem Sofa, sie hockte auf ihm, links und rechts von ihm baumelte jeweils eines ihrer schlanken Beine. Er wollte ihre zarte Taille liebkosen, ihren kleinen Hintern streicheln, doch sie entzog sich ihm und richtete sich wieder auf. Dann drehte sie sich um, warf ihr wunderbares langes Haar zurück und ließ es über ihren Rücken fallen, sodass Matthew auch die andere Seite ihres anmutigen Körpers bewundern konnte. Dabei streichelte sie mit ihren schönen gepflegten

Händen ihren einladenden Po. Schließlich drehte sie sich wieder um, ging auf die Knie und kam geschmeidig wie eine Katze auf ihn zu. Er versuchte, jedes Detail in sein Hirn einzubrennen: den pinkfarbenen Slip und den dazugehörigen BH, die Seidenstrümpfe und die hochhackigen Schuhe, die atemberaubende Frisur und das hinreißende Lächeln … und dann vergrub sie den Kopf zwischen seinen Beinen, entriss seiner viel zu vertrauten Hand das Regiment und übernahm es mit ihren hellen vollen Lippen. Verspielt knabberte sie an seinem harten Schwanz, umkreiste ihn ein bisschen mit der Zunge und nahm ihn schließlich ganz in den Mund. Dann lutschte sie, zusehends energischer und schneller werdend, hörte plötzlich unversehens auf und liebkoste ihn eine Zeit lang sanft mit der Hand. Als Matthew ein wenig abgekühlt war, nahm sie ihn erneut in den Mund und lutschte noch heftiger und unermüdlicher als zuvor. Dieses Spiel wiederholte sie ein paar Mal; sie brachte ihn immer wieder fast zur Explosion, brach dann ab und ließ ihn sich ein wenig erholen, wie um ihn zu quälen. Er versuchte, so lange wie möglich auszuhalten, doch schließlich konnte er nicht mehr, schloss die Augen und kam mit aller Gewalt in ihrem Mund. Er weigerte sich, die Augen noch einmal zu öffnen, und schlief mit einer kleinen, milchigen Pfütze auf dem Bauch auf dem Sofa ein.

* * *

Nach diesem Abend passierten immer merkwürdigere Dinge. Vor allem bekam Matthew plötzlich zu allen möglichen Tageszeiten einen Ständer. Er brauchte bloß an den Satin-BH und den Slip zu denken und – presto! fühlte er sich wie ein brünstiger Hengst, bereit, jede Stute in Sichtweite umgehend zu besteigen. Diese Phase zog sich über zwei Wochen. Wenn er nicht schleunigst eine Frau kennen lernte und etwas von seinem Druck abließ, drohte er zu explodieren. Er masturbierte nahezu täglich … war er etwa ein zweites Mal in der Pubertät? Schlimmer noch, er schien überhaupt nicht mehr an sich halten zu können. Morgens unter der Dusche, bevor er abends einschlief … manchmal stahl er sich sogar am helllichten Tage aufs Klo, um seiner aufgestauten Geilheit Erlösung zu verschaffen.

Und noch ein außergewöhnliches Ereignis: Als er eines Abends mit seinen Freunden in der Kneipe saß und Bier trank, ging er allein zu einer Frau, die ohne Begleitung an der Theke saß, und sprach sie an. Zu seiner Verteidigung muss gesagt werden, dass er ein paar Bierchen zu viel getrunken hatte und die Aussicht, alleine nach Hause zu gehen, ihn über alle Maßen deprimierte. Also trat er in Aktion, und es funktionierte! Nachdem sie sich einige Stunden angenehm unterhalten hatten, lud sie ihn ein, sie nach Hause zu begleiten. Sie war groß und blond und nicht besonders hübsch, doch dieses eine Mal machte Matthew eine Ausnahme. Er brauchte eine Frau, und zwar auf der Stelle. Also pfiff er darauf, dass sie nicht die Göttin seiner Träume war. Vielleicht konnte sie diesen Makel ja auf andere Weise wettmachen. Sie servierte ihm, wie er gehofft hatte, ein Bier, küsste ihn und ließ ihre Hand unmittelbar dahin wandern, wo sie erwünscht war. Und sie wurde nicht enttäuscht! Er reagierte prompt. Sein Schwanz richtete sich, wie von einer Sprungfeder getrieben, auf und wurde so hart, dass es fast schmerzte. Sie ermunterte ihn, sich auszuziehen, entkleidete sich ebenfalls vor seinen Augen und forderte ihn auf, ihr ins Schlafzimmer zu folgen.

Matthew musste sich nicht zweimal bitten lassen. Endlich eine Abwechslung! Seine Hand hatte schon fast Schwielen! Sie nahm seinen Schwanz in den Mund und lutschte ihn kurz, doch es schien ihr nicht so recht zu gefallen. Ob sie auf etwas anderes stand? Sie hockte sich auf ihn und nahm ihn in sich auf. In dieser Nacht trieb Matthew es in mehr unterschiedlichen Positionen als in seinem ganzen bisherigen Leben. Sie legte eine unglaubliche Fantasie und Gelenkigkeit an den Tag! Wie es schien, war sie genauso ausgehungert nach Sex wie er, und so fielen sie wild übereinander her und besorgten es einander immer wieder, bis sie schließlich vor Erschöpfung einschliefen.

Als Matthew aufwachte, wusste er im ersten Moment nicht, wo er war; zu allem Übel hatte er auch noch einen entsetzlichen Kater. Als er die schlafende Frau neben sich erblickte, wurden seine Kopfschmerzen noch schlimmer. Sein erster Reflex war, sofort aufzustehen und sich so schnell wie möglich anzuziehen. Was war passiert? Hatte er in seiner Verzweiflung diese Frau aufgegabelt und war bei ihr zu Hause gelandet? Einzelne Sequenzen der vergangenen Nacht fielen ihm wieder ein. Im Grunde sah sie gar nicht so schlecht aus. Aber wie auch immer! Ob sie jedes Wochenende irgendwelche Typen abschleppte?

Matthew lief ein mulmiger Schauer über den Rücken. Er war bereit zu gehen. Was sollte er tun? Ihr irgendwo seine Telefonnummer hinterlassen? Er war gar nicht sicher, ob er sie überhaupt wiedersehen wollte. Doch nach der heißen Nacht, die sie miteinander verbracht hatten, konnte er sich schlecht einfach davonstehlen wie ein Einbrecher … Dann fiel ihm auf einem kleinen Tisch ein Schreiben ins Auge, das aussah wie eine Telefonrechnung und auf dem ein Name, eine Adresse und eine Telefonnummer standen. Er nahm an, dass es sich um ihre Telefonnummer handelte, notierte sie auf einem bereitliegenden Notizblock, riss das Blatt ab und steckte es sich in die Tasche. Ihr hinterließ er ebenfalls eine Notiz: »Tut mir Leid, ich musste früh weg. Danke für die großartige Nacht. Ich rufe Dich an.« »Arschloch!«, sagte er zu sich selbst. »Du hättest sie wenigstens wecken können!« Aber genauso gut konn-

146

te er sie schlafen lassen, und das tat er schließlich auch. Es war Samstag, er hatte alles Mögliche zu tun, und wenn er ehrlich war, hatte er nicht die Kraft, ihr irgendwelche Lügenmärchen aufzutischen. Also stahl er sich wie ein Feigling aus ihrer Wohnung und versuchte, sich einzureden, dass sie vermutlich genau das von ihm erwartete.

Er war schon ziemlich spät dran für seinen samstäglichen Gang zum Waschsalon, doch zu Hause genehmigte er sich trotzdem als Erstes eine ausgiebige Dusche. Dann suchte er seine schmutzige Wäsche zusammen und machte sich auf den Weg.

* * *

Er ging schnurstracks zu »seinen« Waschmaschinen. Da es für die Normalsterblichen immer noch recht früh war, war im Waschsalon kaum etwas los. Gerade als er seine Kleidung in eine der Maschinen stopfen wollte, fiel ihm hinten in der Trommel etwas ins Auge. Er nahm das Teil heraus und hielt einen Seidenstrumpf in der Hand – genau so einen, wie ihn seine Verführerin in seiner Vorstellung bei ihrem letzten Besuch getragen hatte. Er rollte ihn zusammen und steckte ihn in die Hosentasche seiner Jeans. Was für ein Glück! Wenn es so weiterging, hatte er bald eine komplette Frauengarderobe zusammen! Als der Waschgang fertig war, legte er den Strumpf zu seiner Wäsche, stopfte alles in den Trockner und nahm ihn anschließend mit nach Hause.

Zurück in seinem Apartment, griff er in den Wäschekorb und suchte den Strumpf heraus. Er war weich, schwarz und, wie es schien, ohne Laufmaschen. Er ließ ihn durch seine Finger gleiten und spürte im gleichen Moment seinen Schwanz quälend hart werden. Also legte er den Strumpf zu den anderen beiden Fundstücken und gab sich einem weiteren Tagtraum hin. Ob die delikaten Dessous wohl Sandy passen würden, der Frau, mit der er die stürmische Nacht verbracht hatte? Vielleicht konnte er sie bitten, sie für ihn anzuziehen – nur damit er sah, wie sie ihr standen. Es kam ihm etwas merkwürdig vor, beim Masturbieren an eine Frau zu denken, die vielleicht gar nicht existierte, auch wenn er mit seinen kleinen Träumereien niemandem weh tat. Wenn er Sandy bat, die Unterwäsche für ihn zu tragen, bestand natürlich das Risiko, dass das Bild von der imaginären Frau, die seine Fantasie so beflügelte, ein für alle Mal zerstört sein würde. Doch er war bereit, das Risiko einzugehen.

An diesem und dem folgenden Abend quälte er sich mit der Frage, ob er Sandy nun anrufen sollte oder nicht. Doch jedes Mal, wenn er sich durchgerungen hatte und ihre Nummer wählte, musste er plötzlich ihr Gesicht mit dem seiner imaginären Schönheit vergleichen, und spätestens dann schreckte er zurück. Am nächsten Samstag fand er im Trockner auch den zweiten Seidenstrumpf, und erst in diesem Moment fragte er sich ernsthaft, ob es sich bei dem Ganzen wirklich um einen Zufall handeln konnte.

Wer mochte dieses kleine Spielchen mit ihm spielen? Umgehend schlug er sich den Gedanken wieder aus dem Kopf. Nein, so etwas Lächerliches würde ihm nie und nimmer passieren. Schließlich kam dafür niemand in Frage, den er kannte. Die einzige Frau, mit der er enger befreundet war, war Jane, und Jane war nicht wirklich eine Frau … jedenfalls existierte sie in seiner Vorstellung nicht als potenzielle Liebhaberin. Eher würde die Hölle gefrieren, als dass Jane solche Unterwäsche trüge. Ob sie ihm womöglich einen Streich spielte? Nein, so weit würde sie nicht gehen! Er würde sie trotzdem darauf ansprechen, nur um auf Nummer sicher zu gehen.

Plötzlich hatte Matthew eine Idee. Wie wäre es, wenn er zur Abwechslung einmal noch früher in den Waschsalon ginge? Vielleicht traf er dann die geheimnisvolle, geistesabwesende Frau, die Woche für Woche ein weiteres Kleidungsstück vergaß! Am nächsten Wochenende wollte er seinen Plan in die Tat umsetzen.

* * *

Am folgenden Samstag ging Matthew wie geplant eine ganze Stunde früher als sonst in den Waschsalon. Er musste sich sogar einen Wecker stellen. Auch wenn er ein Frühaufsteher war, wachte er so früh doch nicht von alleine auf! Das Geheimnis war einfach zu verlockend, er wollte es unbedingt lüften. Doch die einzigen Kunden, die zu dieser Stunde erschienen, waren ein fetter, bärtiger Mann mit seinem kleinen Sohn und eine ältere Frau, die Ende fünfzig, Anfang sechzig sein musste. Wenn es die ist, will ich im Erdboden versinken! Ich will nicht einmal daran denken!, sagte Matthew zu sich selbst. Der ausschließlich männlichen Kleidung nach zu urteilen, die der bärtige Mann in die Maschine stopfte, hatte er mit der Geschichte ganz offensichtlich nichts zu tun. Matthew strich zwischen den Waschmaschinen und Trocknern hin und her und suchte nach irgendeinem Anhaltspunkt, doch er fand nichts, was ihm weiterhalf, und so widmete er sich seiner wöchentlichen Wäsche. Dabei behielt er die kommenden und gehenden Leute im Auge und dachte an das Drama, das sich in der zurückliegenden Nacht ereignet hatte.

Er hatte Sandy im Laufe des Tages schließlich doch angerufen, und sie schien hocherfreut, von ihm zu hören. Sie hatten sich für den Abend in ihrer Wohnung verabredet. Einem plötzlichen Impuls folgend, hatte er die Dessous zu dem Treffen mitgebracht, ohne jedoch eine Ahnung zu haben, wie er sie am besten bitten sollte, sie anzuziehen. Er hatte sich zwar eine Weile den Kopf zerbrochen, aber es war ein ziemlich heikles Anliegen; schließlich sahen sie sich erst das zweite Mal. Doch die Versuchung war einfach zu groß. Er musste es versuchen.

Wie er gehofft hatte, hieß sie ihn mit offenen Armen willkommen. Sie konnte es kaum erwarten und führte ihn direkt ins Schlafzimmer. Als sie seine Unentschlossenheit sah, dachte sie, dass er sie nicht begehrte. Er druckste eine Zeit lang herum, weil ihm beim besten Willen nicht einfiel, wie er sein Anliegen am besten vorbringen sollte. Schließlich nahm er die Wäschestücke aus der Tasche, die er mitgebracht hatte, und hielt sie ihr hin. Sie betrachtete sie eingehend, dann verengten sich ihre Augen, und ihr Gesicht verzerrte sich vor Wut.

»Was sind das für Fummel? Die Unterwäsche von deiner Ex? Bist du krank, oder was? Ich dachte, wir kommen zu zweit miteinander klar. Verpiss dich!«

»Nun beruhige dich doch! Die Stücke sind nicht von meiner Ex. Ich erkläre es dir später … Aber wenn du sie nicht anziehen willst – kein Problem. Vergiss es einfach!«

Matthew versuchte es mit ein bisschen mehr Fingerspitzengefühl. Er versicherte ihr, dass die Dessous keiner anderen Frau gehörten und er sie nur gerne an ihr sehen würde, weil sie so schön seien. Nach einer Weile kam sie zu ihm, nahm die Stücke in die Hand und sah sie sich etwas genauer an. Wie es schien, gefielen ihr die Qualität und das weiche geschmeidige Material. Sie zögerte einen Moment, dann verschwand sie im Bad, und als sie kurz darauf wieder erschien, trug sie die Stücke tatsächlich. Matthew versuchte, seine Enttäuschung zu verbergen. Was für ein Reinfall! Der Büstenhalter war viel zu eng und ließ ihre Brüste in äußerst unvorteilhafter Weise hervorquellen. Der Slip war ebenfalls zu klein und schnürte das Fleisch ihrer üppigen Hüften ein, das über dem Gummi schwabbelte. Es war das glatte Gegenteil von dem, was er sich erhofft hatte. Er war zutiefst enttäuscht und hatte plötzlich nur noch einen Gedanken im Sinn: sofort zu verschwinden. Doch als Erstes musste er die Dessous zurückhaben ...

»Danke, Sandy. Ich wollte nur sehen, wie sie dir stehen ...«

»Sie sind für mich? Ein Geschenk? Wie lieb von dir! Komm her, damit ich mich angemessen bei dir bedanken kann ...«

Er ging zu ihr, doch ihr Anblick brachte ihn völlig durcheinander. Die Kleidungsstücke hatten ihm so viel Wonne und Befriedigung bereitet, doch an ihrem Körper sahen sie scheußlich aus. Er versuchte, sie so liebenswürdig wie möglich dazu zu bewegen, die Wäsche wieder auszuziehen, doch da ihm seine Verstimmung anzusehen war, war die Situation zerstört. Als Sandy registrierte, dass er nicht mehr lächelte, verschwand sie erneut im Badezimmer, kam im Bademantel wieder. Was habe ich mir da bloß eingebrockt?, fragte er sich. Diese Frau bedeutet mir absolut gar nichts! Es war wie eine Offenbarung. Er musste abhauen, auf der Stelle, auch wenn er sich für sein Verhalten schämte. In seiner Hose herrschte sowieso Totenstimmung.

»Hör zu, Sandy, ich muss jetzt los ... Wir ... wir heben es uns für das nächste Mal auf, okay?«

»Was meinst du damit, du musst jetzt los? Also hatte ich doch Recht – du bist krank im Kopf! Hau bloß ab, und wag es nicht, mich noch einmal anzurufen!«

»Also gut, tschüss dann ...«

Und damit war die Sache beendet. Matthew fühlte sich furchtbar ... Er hatte sich benommen wie ein Vollidiot. Was war nur mit ihm los? Und wie hatte es überhaupt dazu kommen können, dass er mit dieser Frau im Bett gelandet war? Möglicherweise war ihm seine »Sex-Fastenzeit« ein bisschen aufs Hirn geschlagen. Allein die Idee, Sandy zu bitten, die Dessous anzuziehen, war ein schwerer Fehler gewesen. Damit hatten sie jeglichen Reiz verloren. Er musste sich eingestehen, dass er von Konfektionsgrößen für Frauen keinen blassen Schimmer hatte. An Sandy hatten die Sachen einfach nur furchtbar ausgesehen! Die geheimnisvolle Fremde musste deutlich schlanker sein als Sandy; dabei war sie ihm auch schon ziemlich schlank vorgekommen. Zu seiner großen Verwunderung hatte er angefangen, sämtliche Frauen, die ihm auf der Straße begegneten, zu taxieren und sich zu fragen, ob irgendeine von ihnen vielleicht in die schöne Unterwäsche passen würde.

Die Zeit verging, und schließlich war seine Wäsche fertig, ohne dass irgendeine verdächtige Frau den Waschsalon betreten hatte. Diesmal nahm er sich Zeit, seine Wäschestücke sorgfältig zusammenzulegen, doch er entdeckte nichts, was nicht ihm gehörte, und fand sich ein bisschen enttäuscht damit ab, dass er bei der Suche nach einem Hinweis auf die geheimnisvolle Besitzerin seiner Fundstücke wohl eine weitere Woche würde warten müssen.

Die ganze Woche über dachte er an nichts anderes. Er schimpfte sich einen Idioten, doch er konnte seine Obsession einfach nicht loswerden. Als er sich dabei ertappte, dass er sogar Jane plötzlich so betrachtete wie sonst nur andere Frauen, fürchtete er, vor lauter Verzweiflung wahnsinnig zu werden.

Sie waren alle in der Eckkneipe, und Jane war schon ein bisschen früher gekommen. Sie wirkte bedrückt und stand, in eine intensive Unterhaltung mit Mark vertieft, an der Theke. Matthew hörte nicht zu, worüber sie redeten. Ihm war soeben aufgefallen, wie zierlich Jane war. Möglicherweise zierlich genug, um … Er stellte sie sich in den delikaten Dessous vor und lachte angesichts dieser absurden Vorstellung in sich hinein.

Jane schien miesester Laune zu sein. Matthew schnappte ein paar Brocken ihrer Unterhaltung auf.

»Ihr Männer seid so blind! Offenbar müssen wir uns euch vor die Füße werfen und uns nach euch die Lunge aus dem

Leib schreien, damit ihr uns zur Kenntnis nehmt. Es ist wirklich zum Verzweifeln … Und möglicherweise fragt ihr euch dann auch noch, warum wir so schreien!«

Matthew konnte sich ein Grinsen nicht verkneifen. Bei ihm musste eine Frau sich nicht besonders ins Zeug legen, um von ihm zur Kenntnis genommen zu werden! Arme Jane. Immer hatte sie Probleme mit ihren Männern … Sie entschied sich eben nie für den Richtigen. Sie tranken noch ein paar Bier, und Jane redete nicht weiter über ihr offensichtlich enttäuschendes Erlebnis. Am nächsten Tag war Freitag und zudem ein Feiertag. Sie verabredeten sich für den Morgen im Park, um ein bisschen herumzukicken.

Das Spiel lief wie immer – in einer unbeschreiblichen Mischung aus Ernsthaftigkeit und wildem Gelächter. Plötzlich wurde Matthew bewusst, dass es eigentlich in der Regel Jane war, die dafür sorgte, dass ihre Zusammenkünfte immer so heiter und lustig waren. Ihre schlechte Laune vom Vorabend schien sich in Luft aufgelöst zu haben. Nach dem Spiel lud Matthew sie zu sich nach Hause zum Mittagessen ein. Sie sagte zu, aber nur unter der Bedingung, dass er sie in seiner Junggesellenbude eine Dusche nehmen ließe, wobei sie es sich nicht verkneifen konnte, darauf hinzuweisen, dass seine Dusche so lange keinen Frauenkörper zu Gesicht gekriegt habe, dass sie bestimmt einen Schock bekomme.

Während ihres schnellen Essens fragte Jane, ob Matthew noch irgendwelche weiteren »Fundstücke« von seiner mysteriösen Fremden entdeckt hätte. Er verschwieg die Strümpfe und behielt auch für sich, dass die reizende Unterwäsche sich immer noch in seinem Besitz befand. Was sollte sie schließlich von ihm denken? Immerhin glaubte sie ihm sowieso nicht und würde sich nur herzlich über ihn lustig machen. Über Sandy hatte sie kein Wort verloren. Bestimmt war ihr bewusst, dass es ein heikles Thema war.

Sie half Matthew, das Geschirr abzuräumen, und ging unter die Dusche. Als sie gerade unter der Brause stand, beschloss Matthew, in den Laden zu gehen und ein paar Flaschen Bier zu holen. Er öffnete die Tür zum Bad und fragte Jane, ob er ihr irgendetwas mitbringen solle. Sie rief zurück, dass sie ein kaltes Bier gebrauchen könne. Als er die Tür wieder zuziehen wollte, ließ sie sich nicht schließen ... Er bückte sich, um das Hindernis zu beseitigen, und sah einen ausgesprochen hübschen schwarzen BH aus Satin und Spitze ... Nicht im Traum hätte er gedacht, dass Jane so etwas trug. Beim Anblick des delikaten Stücks bekam er sofort einen Ständer. Verlegen schob er den BH zur Seite und schloss die Tür.

Während seines Einkaufs gingen ihm wirre Gedanken durch den Kopf. Ob sie schon immer so aufreizende Unterwäsche getragen hatte? Sogar beim Sport? Kannte er sie so schlecht? Von plötzlichem Unbehagen erfasst, bezahlte er schnell das Bier und eilte nach Hause. Er hoffte, dass sie inzwischen fertig geduscht und sich wieder angezogen hatte. Die Wirkung, die der schwarze Büstenhalter auf ihn hatte, gefiel ihm überhaupt nicht. Zum ersten Mal war ihm bewusst geworden, dass Jane eine Frau war. Natürlich hatte er das schon immer gewusst, aber er hatte sie nie mit diesen Augen gesehen. Für ihn war sie immer eher einer von seinen Kumpels gewesen. Ohne es überhaupt zu wissen, hatte sie ihm schlagartig vor Augen geführt, dass sie genauso wenig ein Mann war wie er eine Frau ... Was für ein Schock!

Als er nach Hause kam, war Jane fertig und föhnte sich gerade die Haare. Ihm war so unbehaglich zumute, dass er ihr vorlog, noch einmal los zu müssen, um ein paar Besorgungen zu machen. Es schien ihr egal zu sein, und sie ging, ohne irgendwelche Fragen zu stellen.

* * *

Matthew hatte beschlossen, nicht länger nach der geheimnisvollen Fremden zu suchen. Er hatte ohnehin keinen einzigen Hinweis auf ihre Identität. Bestimmt war es ein Versehen, und er war der Glückspilz gewesen, der die Sachen gefunden hatte. Und wenn es doch kein Zufall war, musste die fragliche Frau eben etwas offener in Erscheinung treten. Er hatte jedenfalls keine Lust, das Spielchen noch länger mitzuspielen.

Am nächsten Samstagmorgen ging er wie immer zur gewohnten Stunde in den Waschsalon. Diesmal sah er nicht in sämtlichen Waschmaschinen nach, ob jemand für ihn ein Dessous hinterlassen hatte. Er war immer noch viel zu sehr mit dem Zwischenfall vom Vortag beschäftigt und machte sich Gedanken darüber, dass er seine Freundin Jane plötzlich mit ganz anderen Augen sah.

In seiner Geistesabwesenheit entdeckte er den neuen BH und den neuen Slip erst zu Hause. Was für ein Schock! Er hätte schwören können, dass es sich um den gleichen Büstenhalter handelte, der am Vortag seine Badezimmertür blockiert hatte. Ein wunderschöner BH aus Satin und Spitze sowie der dazugehörige Slip.

Er spürte, wie ihm die Knie weich wurden, stürmte ins Schlafzimmer, hielt die beiden Garnituren nebeneinander und sah sofort, dass sie die gleiche Größe hatten. Die Größe, die offenbar Jane trug! Diese Enthüllung ließ ihn rot anlaufen. Bevor er irgendetwas dagegen tun konnte, erschien die fremde Schönheit vor seinen Augen, doch diesmal hatte sie Janes Gesichtszüge. Matthew schämte sich für seine Fantasie und war völlig durcheinander. Nach all den Jahren konnte er doch nicht plötzlich Jane begehren! Nicht sie! Doch die bloße Vorstellung seiner langjährigen Freundin in derart sexy Dessous ließ ihn auf der Stelle hart werden wie einen Knochen.

Er versuchte mit aller Kraft, an etwas anderes, weniger Erregendes zu denken. Was tat er da? Wollte er es wirklich riskieren, über Nacht eine gute Freundin zu verlieren, und das bloß, weil sein einfältiges Hirn sich nicht davon abhalten ließ, ihm diese verstörenden Bilder vor Augen zu führen? Doch Matthew konnte sich der neuen Situation nicht entziehen: Verstörend oder nicht – in seinem Schritt entfalteten die Bilder eine gewaltige Wirkung.

Er war regelrecht panisch. Mit Rücksicht auf seine Freundin entschied er, ihr alles zu erzählen und ihr ohne jede Umschweife zu offenbaren, dass ihn das Ganze um den Verstand bringe. Er griff nach dem Telefon und wählte die Nummer, die er schon so oft gewählt hatte.

»Hallo, Jane. Ich muss dich sofort sehen!«

»Was ist denn los? Du klingst ja ganz durcheinander.«

»Willst du zu mir kommen, oder wollen wir uns bei dir treffen?«

»Komm zu mir, ich erwarte dich.«

Außer sich eilte er die paar Blocks zu Janes Wohnung. Er bewegte sich festen Schrittes, doch er hatte keinen Schimmer, wie er ihr erzählen sollte, was ihm auf der Seele lag. Was sollte er tun, wenn er bei ihr ankam?

Das Einzige, was er erreichen würde, war, sich komplett lächerlich zu machen, doch jetzt gab es kein Zurück mehr.

Warum hatte er am Tag zuvor nicht gewartet, bis sie aus der Dusche kam? Hatte er unbewusst geahnt, was ihn erwartete? Hatte er nicht schon immer gewusst, wie schön sie war und dass sie noch zu haben war? Oder war es sein ungewöhnlicher Appetit auf Sex, den er seit einigen Wochen verspürte, der ihn auf einen im Grunde völlig harmlosen Zwischenfall in dieser Weise reagieren ließ? Dass sie das alles genauestes geplant hatte, war doch wohl undenkbar … Oder etwa nicht?

All diese Fragen gingen ihm durch den Kopf, als er bei ihr klingelte. Sie ließ ihn herein und fragte ihn sofort, warum er so durcheinander sei.

»Also, Jane, ich weiß gar nicht, wie ich es dir erzählen soll – das Ganze ist mir höchst peinlich. Es hat vor ein paar Wochen angefangen, du weißt schon, als ich diesen Slip in meiner Wäsche gefunden habe …«

»Genau, und dann auch noch den BH …«

»Du glaubst mir immer noch nicht, oder?«

»Na, ja … also gut, wenn du darauf bestehst. Du siehst wirklich ziemlich durcheinander aus …«

»Wie auch immer – als du gestern bei mir warst und ich dich gefragt habe, ob ich dir etwas aus dem Laden mitbringen soll, habe ich deinen Büstenhalter auf dem Boden liegen sehen, und …«

»Und was?«

»Mir war bis gestern überhaupt nicht klar, dass du solche Dessous trägst. Und seit gestern muss ich ständig daran denken, dass … äh …«

»Woran musst du denken, Matthew? Ist es möglich, dass du mich plötzlich mit anderen Augen siehst?«

»Genau! Du triffst den Nagel auf den Kopf, und das macht mir ziemlich zu schaffen … Ich habe dich immer geliebt wie eine Schwester, und auf einmal spuken mir alle möglichen verrückten Dinge durch den Kopf! Ich weiß gar nicht, was ich tun soll! Du wirst mich dafür verachten, und das Schlimme ist: Ich kann dich gut verstehen.«

»Dich verachten? Matthew, ich könnte dich nie verachten!«

Mit diesen Worten öffnete sie ihren Morgenmantel und enthüllte erst ihren Hals und dann ihre kleinen Brüste. Sie steckten in einem hinreißenden pinkfarbenen BH, der sich deutlich von ihrem blassen Teint abhob. Ihr flacher Bauch war nackt bis hin zu dem feinen Spitzenrand ihres winzigen Slips.

Das Ganze kam der verführerischen Szene aus seiner Fantasie so nahe, dass Matthew jede Zurückhaltung vergaß und sich auf sie stürzte. Sie roch herrlich und war so wunderschön! Er war fassungslos und wagte kaum, ihre sanfte, weiche Haut zu berühren. Jane nahm ihn in die Arme und führte ihn ins Schlafzimmer. Sie sah ihm tief in die Augen und zog ihn langsam aus, wobei sie mit Engelsgeduld jeden einzelnen Knopf seines Hemdes aufknöpfte und beim Öffnen des Reißverschlusses seiner Hose ein geradezu feierliches Gesicht aufsetzte. Dann kniete sie sich vor ihn, bedeckte seinen Bauch mit zarten Küssen und ließ ihre Zunge über sein steifes Gemächt wandern. Als sie ihn mit ihrem heißen Mund in sich aufgenommen hatte, stieß Matthew einen tiefen Seufzer aus, genoss ihre leidenschaftlichen Liebkosungen noch eine Weile in tiefen Zügen und zog sie dann zu sich herauf. Er drückte sie fest an sich, ließ seine Finger durch ihr weiches, seidiges Haar gleiten und küsste sie schließlich. In seinem Kuss lagen schier unbeschreibliche Gefühle, die alle auf einmal in ihm aufstiegen und ihn ganz schwindlig machten. Sein letzter klarer Gedanke war, dass sie es gewesen sein musste, Jane, die alles so eingefädelt hatte, um ihn zu verführen. Und sie hatte es geschafft …

Die beiden Liebenden fühlten sich einander so nah, als ob sie sich schon ihr ganzes Leben geliebt hätten, ohne dass ihre Leidenschaft dadurch auch nur im Mindesten an Intensität verloren hätte. Sie liebkosten einander zärtlich und voller Liebe und Zuneigung, dann verschmolzen sie in einem süßen Tanz der Lust, bedeckten einander über und über mit Küssen und streichelten sich mit immer brennenderer Begierde. Matthew durchlebte jede einzelne Sekunde seiner jüngsten Fantasien mit aller Intensität noch einmal, doch diesmal mit einer realen, lebendigen Frau! Endlich konnte er sie wirklich berühren, die Beschaffenheit ihrer Haut ertasten, ihre geschmeidigen Beine streicheln und ihre runden Brüste liebkosen. Ihre Körper waren ineinander verschlungen, als wären sie füreinander geschaffen. Matthew versuchte, den ultimativen Moment so lange wie möglich herauszuzögern, den Moment, in dem er in die Tiefen seiner Liebespartnerin eintauchen würde, die er so gut kannte und doch noch nie wirklich gekostet hatte. Sie küssten einander immer leidenschaftlicher, und ihre Begierde wurde immer brennender, sodass sie schließlich keinen Augenblick länger warten konnten und Matthew in sie hineinglitt. Sie fanden sofort ihren Rhythmus, gaben sich den gleichmäßig drängenden Bewegungen ihrer Hüften hin und erkundeten den Körper des anderen voller Freude, Neugier und berauschender Befriedigung. Sie schienen füreinander gemacht. Janes heiße Möse nahm Matthews ungestümen Schwanz perfekt in sich auf, der nun immer ungezügelter zustieß. Plötzlich hielt er kurz inne, kniete sich hinter sie, zog sie zu sich heran und tauchte erneut in die heißen Tiefen ihres Körpers ein. Dabei erforschten seine Finger unaufhörlich ihre weiche Haut, streichelten ihren Hals und zwickten sie neckisch in ihren anmutigen Nacken. Schließlich wanderte seine Hand nach unten, fand ihre bebenden Schamlippen, zog sie etwas auseinander, massierte sie sanft und entlockte seiner Liebesgöttin zu seiner hellen Freude ein paar süße Seufzer der Lust. Matthews Erregung wuchs mit jedem Atemzug, und schließlich kam er in ihr in einer gewaltigen Welle der Erlösung. Noch Minuten später konnte er die Zuckungen ihres bebenden Körpers spüren. Sie schliefen glücklich und zufrieden ein, und der plötzliche Wandel ihrer Beziehung bekümmerte sie nicht im Geringsten.

Am nächsten Samstag ging Matthew beflügelten Herzens zur gewohnten Stunde zum Waschsalon. Seit dem Abend, an dem er und Jane endlich zueinander gefunden hatten, hatten sie fast jede Minute miteinander verbracht. Jetzt erst war ihm bewusst geworden, wie sehr er sie im Grunde schon immer begehrt hatte. Sie erfüllte ihn in jeder Hinsicht, und er konnte es nur schwer ertragen, von ihr getrennt zu sein. Während die Waschmaschine lief, dachte er mit einem verzückten Lächeln auf den Lippen an die zurückliegenden Tage. Als er nach dem Trockengang seine Wäsche aus der Maschine nahm und ihm ein hübscher Slip entgegenpurzelte, musste er verschmitzt grinsen. Erst in diesem Moment fiel ihm ein, dass weder er noch Jane bisher die einzigartige Taktik zur Sprache gebracht hatten, mit deren Hilfe sie ihn so erfolgreich verführt hatte. Er war überrascht, dass sie ihr Spielchen immer noch weiterspielte – aber das tat sie ganz offensichtlich. Was für ein Glück, dass sie ihm die Augen geöffnet hatte! Ohne ihre brillante Idee hätten sie nicht zueinander gefunden und so wunderbare Stunden miteinander verbracht. Wie froh er war, dass sie den ersten Schritt getan hatte!

Er nahm den Slip und legte ihn zu seiner Wäsche in den Korb. In diesem Moment betrat eine ältere Frau den Waschsalon. Es war die gleiche Frau, die er an jenem Samstag gesehen hatte, als er extra früher gekommen war, um den Scherzbold, der ihm den Streich spielte, auf frischer Tat zu ertappen. Sie schien etwas zerstreut, schlurfte langsam durch den Waschsalon und sah in jede einzelne Maschine. Nach einigen Minuten sorgfältiger Suche wandte sie sich, sichtlich verlegen, an Matthew.

»Entschuldigen Sie, junger Mann. Sie haben in dem Trockner nicht zufällig etwas gefunden? Ich bin manchmal ein bisschen durcheinander, und mir sind beim Wäschewaschen in den vergangenen Wochen alle möglichen Sachen abhanden gekommen. Ich habe meine besten Dessous hier liegen lassen, und allmählich fängt mein Mann an, sich zu wundern …«

Doppelt oder gar nicht

Ich denke, dieser ereignisreiche Herbst wird mir für immer in Erinnerung bleiben. Als die Blätter an den Bäumen die Farbe wechselten und wir bedauernswerten Menschen uns auf ein paar weitere trostlose Wintermonate einstellen mussten, zerbrach mein Leben. In einem einzigen Monat – dabei war es eigentlich ein herrlicher September – verließ mich mein Freund, verlor ich meinen Job und wäre um ein Haar aus meiner Wohnung geflogen, weil ich mit der Miete im Rückstand war, die bis dahin besagter Freund gezahlt hatte.

Nach einer längeren Phase des Selbstmitleids riss ich mich zusammen und sah den Fakten ins Auge: Ich hatte es ja so gewollt! Der ganze Schlamassel hatte damit angefangen, dass Jerome mich verlassen hatte, und das hatte ich ganz allein mir selbst zuzuschreiben.

Die Probleme begannen im vergangenen Januar mit einer kleinen Party anlässlich meines Geburtstags. Ich betrachtete meine Gäste und machte mir klar, wie glücklich ich mich schätzen konnte, einen so großen Kreis von Freunden um mich versammelt zu haben, die ich allesamt mochte und schätzte. Doch in dem Moment wurde mir bewusst, dass mir noch etwas fehlte, eine Kleinigkeit, die mein Leben vervollständigen würde und die sich in einem einzigen Wort zusammenfassen ließ: »Nachkommen«. Wenn ich diese Welt eines Tages verlassen würde, würde nichts von mir bleiben.

Jedenfalls nichts Fassbares. Nach dieser Erkenntnis konnte ich nur noch an eines denken: ein Baby zu bekommen. Natürlich hatte ich auch schon vorher daran gedacht. Im Grunde erfüllt mich der Wunsch, eines Tages eine eigene Familie zu gründen, solange ich zurückdenken kann. Doch aus irgendwelchen Gründen habe ich es immer wieder verschoben. »Wenn ich finanziell auf etwas festeren Füßen stehe«, hatte ich mir gesagt, »wenn ich den Mann fürs Leben gefunden habe« oder »wenn ich meine Karriereziele erreicht habe«. Wenn, wenn, wenn …

Als ich an diesem Abend mein Leben analysierte, wurde ich mir über einige Dinge klar. Zunächst einmal darüber, dass ich Jerome, mit dem ich zusammenlebte, ausreichend liebte, um ihn mir als den Vater meiner Kinder vorstellen zu können. Wir hatten zwar nicht viel Geld, aber kam es nicht letztendlich auf die Liebe an? Brauchte ein Kind nicht vor allem Liebe und Zuwendung? Und was meine berufliche Karriere anging, so musste ich mir eingestehen, dass sie sich nicht ganz so entwickelte, wie ich es mir erhofft hatte und ich meinen Zielen von Tag zu Tag eher ferner zu sein schien anstatt mich ihnen zu nähern. Was hielt mich also davon ab, ein Baby zu bekommen? Die Antwort auf diese Frage war ganz offensichtlich: »Gar nichts!« Als mir das auf einmal klar war, wurde mein Wunsch nach einem Kind zu einer regelrechten Obsession, und daran konnte auch die mangelnde Begeisterung meines Partners nichts ändern, mit der er meinem neuen »Entschluss« begegnete. Aber ich betrachtete seine störrische Haltung nicht unbedingt als ein Hindernis. Ich kann ziemlich stur sein und ging davon aus, dass Jerome, wäre er erst einmal mit einem *fait accompli* konfrontiert, vor Freude in die Luft springen und das kleine Juwel mit offenen Armen willkommen heißen würde. Ebenso sicher war ich, dass ich nichts weiter tun musste, als mein Verhütungsmittel abzusetzen, um das

Wunder zu bewirken. Um mein schlechtes Gewissen zu beruhigen, versuchte ich, Jerome tage-, ja wochenlang von den Vorzügen meines Vorhabens zu überzeugen, doch das war nur eine reine Formsache. Nachdem ich ihn eine Zeit lang vergeblich bearbeitet hatte, kam ich zu dem Schluss, dass mein Glück auch sein Glück sein würde. Also stellte ich meine Überzeugungsversuche ein und schritt zur Tat. Ich hörte auf, ihn zu bedrängen, redete nicht mehr über Babys und seufzte auch nicht mehr jedes Mal auf, als ob es mir das Herz bräche, wenn ich im Fernsehen oder auf der Straße ein Kind sah. Kurz, ich tat so, als ob die Sache für mich erledigt wäre. Was Jerome jedoch nicht wusste, war, dass ich gleichzeitig mein Diaphragma wegwarf und nur das Döschen behielt, das ich jedes Mal offen hinlegte, wenn wir uns liebten. Wenn ich schwanger würde, konnte ich jederzeit die Unschuldige spielen, das Ganze auf einen »Unfall« schieben und ihm damit schmeicheln, dass er magischen Supersamen haben musste, der es offenbar geschafft hatte, die dicke Latexbarriere zu überwinden …

Um zu dem erwünschten Ergebnis zu kommen, hatte ich mich gründlich informiert. Ich wusste, wann es sowieso nicht klappen konnte und wann die fruchtbaren Tage waren. An diesen Tagen erwartete ich Jerome im Bett, wenn er von der Arbeit kam. Ich trug meine aufreizendsten Dessous und beeindruckte ihn mit den verführerischsten Posen. Vermutlich hielt er mich in diesen Tagen für ungewöhnlich triebhaft, aber er schien sich nie darüber zu wundern und schob meinen Drang lieber auf meine pure Lust, die natürlich von seiner unvergleichlichen sexuellen Leistungsfähigkeit entfacht wurde. Selbstverständlich beließ ich ihn in dem Glauben und versuchte, mein wahres Anliegen so gut wie möglich zu verbergen, denn manchmal sind Männer doch weniger dumm als sie scheinen!

Doch es vergingen acht Monate, und ich war immer noch nicht schwanger. Allmählich fing ich an, den Mut zu verlieren, und eines Tages überkam mich ein furchtbarer Zweifel. Offenbar war es gar nicht so leicht, schwanger zu werden – stimmte etwa mit mir und meinem Körper irgendetwas nicht? Ich vertrieb diese quälenden Gedanken aus meinem Kopf und versuchte, mich zusammenzureißen. Stattdessen ergriff ich ein weiteres Mal die Initiative und nutzte die Gelegenheit, dass uns genau zum richtigen Zeitpunkt eine Woche Urlaub bevorstand. Wir wollten unsere freien Tage in einem netten kleinen Landhotel verbringen, wo wir »unserer Leidenschaft freien Lauf lassen« konnten. Jerome wies mich darauf hin, dass unserer Leidenschaft in letzter Zeit ja sowieso schon keine Zügel mehr angelegt seien, doch ich sagte zu ihm: »Du machst mich ganz verrückt! Wenn du mich jetzt schon für scharf hältst, stell dir erst mal vor, was dich erwartet, wenn wir ein ganze Woche lang unsere Fantasien ausleben können!« Er konnte nicht widerstehen, und an meinem zehnten Zyklustag fuhren wir aufs Land. Ich war schon vorab ganz aus dem Häuschen, dass ich mein Baby in so einer bezaubernden Umgebung empfangen sollte.

Während der ganzen Woche ließ ich ihn nicht zur Ruhe kommen und überließ nichts dem Glück oder dem Zufall. Zwar hatte ich irgendwo gelesen, dass man zwischen jedem Beischlaf am besten einen ganzen Tag verstreichen ließ, damit der Mann wieder »neue Kraft schöpfen« konnte, doch dieses Detail hielt ich für vollkommen vernachlässigenswert. Ich setzte all meine Fantasie und Kunstfertigkeit ein, um ihn jedes Mal auf andere Weise zu verführen und seinen kostbaren Saft so oft wie möglich in mir aufzunehmen. Ich verwandelte mich von einer Kurtisane in eine scheue Jungfrau, spielte ihm eine schamlose Hure und ein entdeckungsfreudiges junges Mädchen vor, und er genoss meine wechselnden Rollen mit wachsender Begeisterung. Ich war im Himmel! In sieben Tagen liebten wir uns letztendlich elfmal, und ich sagte mir, dass es jedenfalls nicht an unserem mangelnden Einsatz lag, wenn es wieder nicht geklappt hatte. Doch ich hatte weder Zeit noch Gelegenheit, mich ausführlicher mit diesen Überlegungen zu befassen, denn am Ende des Monats fand Jerome schließlich heraus, welches Spiel ich mit ihm spielte.

Als zwei Wochen nach unserem kleinen Abenteuer meine Periode einsetzte, hatte ich weder die Kraft noch den Willen, meine Enttäuschung zu verbergen. In den ersten beiden Tagen war ich in einer fürchterlichen Stimmung. Ich wurde von düsteren Gedanken geplagt – wie es Frauen in so einem Fall häufig ergeht –, wollte am liebsten gar nicht mehr das Bett verlassen, blies Trübsal und lief nur noch mit einer Leichenbittermiene herum. Am dritten Tag hatte ich Jerome mit meiner schlechten Laune angesteckt. Mit der Geduld am Ende, machte er einen großen Hausputz, um auf andere Gedanken zu kommen und seine Nerven zu beruhigen. Hin und wieder warf er mir missbilligende Blicke zu, denn ich hatte mich vor dem Fernseher breit gemacht und stopfte unentwegt Eis in mich hinein. Nach einer halben Stunde schaltete er plötzlich wütend den Fernseher aus, baute sich vor mir auf und wedelte mit der leeren Diaphragma-Dose vor mir herum wie mit einer tödlichen Waffe.

»Warum liegt die Dose im Bad herum – leer?«

»Wie bitte? Sie kann unmöglich leer sein ….«

»Caroline, welches Spiel spielst du mit mir?«

O je!! Er war dahinter gekommen … Ich hatte nicht die Kraft, irgendetwas zu leugnen; es wäre ohnehin verlorene Liebesmüh gewesen. Es folgte ein furchtbarer Streit. Er warf mir alle nur erdenklichen Schimpfworte an den Kopf und beschuldigte mich, sein Vertrauen mit Absicht missbraucht zu haben. Ich saß einfach nur da, ließ alles über mich ergehen und machte nicht einmal den Versuch, mich zu verteidigen. Wozu auch? Er war schließlich kein Idiot. Zum Schluss verließ er unsere Wohnung, knallte die Tür hinter sich zu und stellte klar, dass er mir diesen Vertrauensmissbrauch nie und nimmer würde verzeihen können. Davon, dass ihn einfach nur der Gedanke an eine mögliche Vaterschaft und die damit verbundene Verantwortung schreckte, wollte er nichts wissen. Er verschwand in die Nacht, und ich sah ihn erst ein paar Tage später wieder, als er noch einmal vorbeikam, um seine Sachen abzuholen. Es war ein bitterer Tag für mich. Er ließ mir keine Chance, ihm alles zu erklären und ihm auseinander zu setzen, wie wichtig der Kinderwunsch für mich geworden war. Der Bruch zwischen uns war endgültig, vollständig und unwiderruflich.

Ich war am Boden zerstört. In den folgenden Wochen fehlte ich häufig bei der Arbeit. Als Entschuldigung faselte ich etwas von einer mysteriösen Krankheit. Insgesamt war ich in ziemlich schlechter Verfassung … nicht gerade die beste Voraussetzung, wenn man bei einer Partnervermittlungsagentur arbeitet, wo permanente Bestlaune gefragt ist. Mein Einsatz bei der Arbeit ließ sehr zu wünschen übrig, und eines Tages bekam mein Chef zufällig mit, wie ich einen potenziellen Kunden ziemlich rüde abfertigte. Er feuerte mich auf der Stelle. Damit war ich nicht nur Single, sondern auch noch arbeitslos. Ich versuchte, mich zusammenzureißen und mich nach einem neuen Job umzusehen. Die Zeit rann dahin – manchmal vergeht sie ja wie im Flug –, ohne dass sich meine Situation spürbar besserte. Erst als mein Vermieter mir ein Ultimatum setzte, nachdem ich ihm einmal zu oft damit gekommen war, ich hätte die Überweisung der Miete schlicht »vergessen«, kam ich zur Besinnung. Ich gab mir einen Ruck, fand eine Stelle in einer anderen Partnervermittlung und brachte wieder etwas Ordnung in mein Leben.

Doch ich fühlte mich sehr allein. Das Ende meiner Beziehung war noch sehr frisch. Allerdings muss ich zugeben, dass es gar nicht so sehr Jerome war, den ich vermisste, sondern jenen Teil seines Körpers, der die entscheidenden Zutaten für die Produktion eines Babys enthielt. Ich hatte mir den Wunsch nicht aus dem Kopf geschlagen, im Gegenteil. Ich wünschte mir das Baby mehr denn je. In meiner Verzweiflung redete ich mir sogar ein, dass mir jeder Mann willkommen wäre, Hauptsache, er hatte einen guten Charakter und verfügte auch sonst über die Anlagen, die ich mir für mein Kind wünschte.

Ich sah mir die Männer in meinem Bekanntenkreis etwas eingehender an und nahm sie kritisch unter die Lupe. Es war kein interessantes Exemplar dabei. Zwar gab es unter meinen Freunden ein paar wirklich nette Typen, doch die Vorstellung, mit einem von ihnen ins Bett zu steigen, kam mir doch zu befremdlich vor, ja, sie hatte geradezu etwas Inzestuöses. Außerdem war einer von ihnen schwul, der andere glücklich verheiratet und der Dritte in emotionaler Hinsicht labil und stand, was die finanziellen Dinge anging, auf viel zu wackligen Beinen. Als Nächstes probierte ich es mithilfe der Partnervermittlungsagentur, bei der ich arbeitete. Wo könnte ich schließlich besser den perfekten Vater für mein Kind finden als hier?, fragte ich mich voller Enthusiasmus. Es war ganz einfach. Ich musste nur in aller Ruhe sämtliche Ordner mit den verfügbaren Männern durchstöbern und ihre jeweiligen »Stammesmerkmale« genau unter die Lupe nehmen. Viele dieser Männer kamen durchaus als Kandidaten in Frage … Schon lange hatte ich aufgehört zu glauben, dass die Kundschaft der Vermittlungsagenturen sich ausschließlich aus Nieten und Versagern zusammensetzt!

Ich ging sofort an die Arbeit. Ist der Computer nicht ein wunderbares Recherche-Hilfsmittel? Aufgrund einiger grober

Kriterien wie Alter, Größe und sozialer Status traf ich eine erste Auswahl. Außerdem musste ich überlegen, ob ich lieber einen Single wollte. Ein verheirateter Mann hätte den Vorteil, dass er mir nicht ständig auf die Pelle rücken würde … Aber möglicherweise fiel er wegen seiner sonstigen Verpflichtungen ausgerechnet in den Nächten aus, in denen ich ihn am dringendsten benötigte! Und nach meiner Erfahrung mit Jerome wusste ich, dass man nicht gerade beim ersten Versuch schwanger wird. Nein, ein Single war doch besser. Wenn er sein Werk vollbracht hätte, könnte ich ihn ja notfalls immer noch abschütteln. Bei der Alterskategorie war ich ziemlich großzügig, um den Kandidatenkreis nicht zu stark einzuschränken. Dann die Größe … Wenn ich einen Jungen bekäme, sollte er groß und sportlich werden. Die Haarfarbe? Ich entschied mich für braun oder schwarz. Und die Augen? Warum nicht haselnussbraun? Die Kategorie »besondere Interessen« ließ ich aus; diesbezüglich würde ich jeden Kandidaten gesondert unter die Lupe nehmen. Schließlich drückte ich ein letztes Mal die Return-Taste, und damit begann meine Suche nach dem perfekten Mann. Der Computer arbeitete eine Weile und präsentierte mir eine erste Auswahl: vierzehn Kandidaten. Vierzehn! Fantastisch! Doch als ich die ausgeworfenen Daten auf dem Bildschirm studierte, kühlte meine anfängliche Begeisterung schnell um ein paar Grad ab.

»John, vierundfünfzig, allein stehend. Zur Zeit arbeitslos. John sucht eine sexy Begleiterin mit Klasse und ist gerne bereit, seinen Horizont zu erweitern, um die Freuden des Lebens kennen zu lernen.«

Ich hatte ebenfalls nichts dagegen, meinen Horizont zu erweitern, und betrachtete mich als ziemlich sexy. Doch dieser John war trotz seiner ein Meter achtzig ziemlich übergewichtig. Das war kein Vater für meinen Sohn und erst recht nicht für meine Tochter! Also las ich weiter.

»Stan, zweiundzwanzig, Marathonläufer.«

Hmm, das klang schon interessanter. Vielleicht war er ein bisschen jung, aber das war kein Problem. Im Gegenteil! Doch beim Weiterlesen erfuhr ich, dass er einen Mann in den Vierzigern suchte, der so sportlich war wie er selbst. Zu schade aber auch! Also der Nächste …

»Maurice, sechsunddreißig, Architekt. Geht gerne im Wald spazieren, treibt Wassersport und ist überhaupt gerne in der Natur. Sucht eine Frau zum Reden und für romantische Stunden. Nichtraucherin erwünscht. Übergewichtige und über Dreißigjährige brauchen sich nicht zu melden.«

Ein weiteres Mal enttäuschte mich vor allem das Foto. Maurice war Brillenträger, und seine Gläser waren so dick, dass man nicht einmal richtig erkennen konnte, was für Augen er hatte. Mein Kind aber sollte einwandfrei sehen können … Und so ging es in der Liste weiter. Sicher, auf den ersten Blick erschienen einige der Männer durchaus interessant, doch bei genauerem Hinsehen fand sich immer ein Haar in der Suppe. Je weiter ich las, desto mehr verflog meine anfängliche Begeisterung. Entweder hatte der Kandidat schiefe Zähne – man denke bloß an die drohenden Rechnungen für den Kieferorthopäden! –, oder er hatte keine Haare. Ein Glatzkopf konnte sehr sexy sein – aber nicht, wenn man die Härchen, die ihm aus der Nase wuchsen, sogar auf dem Computerbildschirm sehen konnte! Ein anderer Mann, Greg, hätte vielleicht ganz gut zu mir gepasst, doch er war geschäftlich viel unterwegs, und seine häufige Abwesenheit konnte sich für mein Vorhaben als Problem erweisen. Peter lebte mit vier Katzen, und wenn ich etwas nicht ertragen kann, dann sind es diese falschen, unberechenbaren Tiere. Und gegen Michael, den Hunde-Trainer, sprach, dass ich schon als kleines Mädchen auf Hunde aller Art allergisch reagierte. Dann gab es diesen attraktiven Arzt, doch er suchte ausdrücklich eine Frau, die ihn dominierte und ihn zu ihrem Sklaven machte … definitiv kein Charakterzug, den ich mir für mein Kind wünschte! Um es kurz zu machen: Auf der Liste stand kein wirklich aufregender Kandidat, und ich war es fast leid, als ich plötzlich doch noch auf eine viel versprechende Eintragung stieß.

»Louis, neununddreißig, Bauunternehmer. Liebt intime Essen zu zweit und ist ein exzellenter Koch. Seine Lieblings-sportarten sind Schwimmen, Inlineskaten und Abfahrtslauf. Louis sucht eine Frau, mit der er diese Vergnügungen teilen kann und vielleicht auch noch ein paar weitere.« Dem Foto nach zu urteilen gefiel mir sein Äußeres von allen bisherigen Kandidaten am besten. Ohne auch nur einen Moment zu zögern, hinterließ ich ihm eine Nachricht auf seiner Mailbox und hoffte, dass er mich schnell zurückrief.

Am nächsten Tag meldete er sich, und obwohl wir nur kurz miteinander redeten, war unsere Unterhaltung sehr angenehm. Er hatte einen charmanten Sinn für Humor und eine sanfte, warme Stimme. Während unseres Telefonats hörte ich im Hintergrund lachende Kinder und fragte ihn, ob es seine eigenen seien.

»Nein, leider nicht. Sie sind von meiner Schwester, und ich passe heute Abend auf sie auf.«

Wir verabredeten uns für den nächsten Tag in einem beliebten Café.

Ich saß an einem kleinen Ecktisch, als er das Café betrat. Gelocktes hellbraunes Haar, das er fast schulterlang trug, helle, verschmitzte haselnussbraune Augen, eine gerade Nase mit einigen blassen Sommersprossen, sinnliche Lippen und perfekte Zähne. Er sah toll aus.

Wie es meine Art ist, kam ich direkt zur Sache.

»Warum hast du dich an eine Partnervermittlungsagentur gewendet? Du dürftest doch keine Probleme haben, hübsche Frauen kennen zu lernen.«

»Nicht so hübsche Frauen wie dich! Aber wie auch immer, die gleiche Frage könnte ich dir stellen …«

Ich schenkte ihm mein bezauberndstes Lächeln, als er sich mir gegenüber niederließ. Wir verbrachten ein paar höchst angenehme Stunden miteinander, gingen schließlich mit Bedauern getrennter Wege nach Hause und verabredeten uns erneut für den nächsten Tag.

* * *

In den folgenden Wochen hatte ich ausreichend Gelegenheit, den Mann kennen zu lernen, der sich hinter dem charmanten Äußeren verbarg. Er war von Natur aus herzlich, sprühte nur so vor Energie und kannte sich auf allen möglichen Gebieten aus, was ihn zu einem faszinierenden Gesprächspartner machte. Doch obwohl ich es angenehm und wichtig fand, dass ich mich gut mit ihm unterhalten konnte, war das noch nicht das Feld, auf dem er am meisten glänzte. Louis entpuppte sich nämlich zudem als ein fantastischer Liebhaber. Er besaß in den Laurentians ein gemütliches kleines Haus, und sobald feststand, dass wir uns voneinander angezogen fühlten, nahm er mich dorthin mit. Unsere erste gemeinsame Nacht war überwältigend, und ich habe sie bis zum heutigen Tag in bester Erinnerung.

Er bereitete mir ein köstliches Essen zu und servierte es mir in dem großen Wohnzimmer, wo er in dem steinernen Kamin ein knisterndes Feuer entfacht hatte. Die Einrichtung war schlicht, aber ungeheuer gemütlich und einladend! Das Essen war exquisit, von der Suppe bis zum Dessert – vor allem das Dessert! Während des ganzen Abends sahen wir einander versonnen in die Augen. Unsere verzückten Blicke ließen ahnen, welch erquickliche Nacht uns bevorstand. Bevor er den Tisch abräumte, küsste er mich und kam mit einer großen

Schüssel Erdbeeren, einer Schale Schlagsahne und einer Flasche Champagner zurück. Er nahm mich in die Arme, tanzte mit mir zu der gedämpften Musik vor dem knisternden Feuer, zog mich langsam aus und sah mir tief in die Augen. Seine haselnussbraunen Augen versanken förmlich in mir, und sie hatten einen ganz besonderen Glanz, der eine warme, innige Zärtlichkeit ausstrahlte. Schließlich zog er mich hinab auf ein vor dem Kamin ausgelegtes Bärenfell, bewunderte den Schein der auf meiner Haut reflektierenden Flammen, steckte mir mit der einen Hand einzelne Erdbeeren in den Mund und tupfte mit der anderen Schlagsahne auf meine aufgerichteten Nippel, auf meinen Bauch und auf meine Oberschenkel. Dann leckte er mich gierig ab, wobei er seine Zunge ausgiebig in der dicken Sahneschicht kreisen ließ.

Er schien das Ganze zu genießen wie ein Festmahl und pries die Geschmeidigkeit meiner Haut. Als sein heißer Atem die Sahne verflüssigte und sie an der Innenseite meiner Oberschenkel herunterlief und sich mit meinen Säften vermischte, seufzte er, kostete von der Mixtur und befand sie für ausgesprochen köstlich. Was ich dabei empfand, war ebenfalls herrlich …

Inzwischen war auch er nackt, glitt behutsam auf mich und rieb sich sanft an meinem Körper. Er schwebte über mir, die Spitze seines steifen Schwanzes kitzelte mein Gesicht, kam für eine Kostprobe jedoch nicht nah genug an meinen Mund, und wanderte dann weiter zu meinen Brüsten, mit denen ich ihn umfasste. Er glitt sanft zwischen ihnen hindurch, bewegte sich weiter hinab über meinen Bauch und hielt da, wo mein Körper sich ihm öffnete, für einen Moment inne. Schließlich drang er mit einem einzigen Stoß in mich ein und liebte mich erst sanft und zärtlich und dann mit immer heftiger werdender Leidenschaft. Ich genoss unser Liebesspiel in tiefen Zügen und wollte es möglichst lange hinauszögern … Um ihn zu bremsen, umklammerte ich mit meinen Beinen seine straffe Taille und brachte ihn dazu, eine kurze Pause zu machen. Ich sah ihm tief in die Augen und versuchte zu erkennen, ob er mich genauso begehrte wie ich ihn. Was ich sah, beruhigte mich: Das Funkeln in seinen Augen war heller und intensiver denn je. Nun wollte ich wissen, wie die Sahne schmeckte, wenn ich sie von seiner Haut leckte. Ich bedeutete ihm, sich neben mich zu legen, und strich ihn großzügig mit der Sahne ein, wobei ich darauf achtete, jeden einzelnen Zentimeter seines ungestümen Liebesknochens, seines Bauches und seiner Oberschenkel zu bedecken. Dann nahm ich ihn in den Mund. Er glitt tief in mich hinein, drückte gegen meinen Kiefer, füllte mich komplett aus und schmeckte süß und köstlich. Die Sahne hatte sich inzwischen verflüssigt und rann mir den Hals hinunter bis zu meinen Brüsten, die er jetzt gierig zu lecken begann.

Ich kniete über ihm, wies ihm den Weg zurück zu meiner feuchten Spalte und nahm ihn dankbar und gierig in mir auf. Er umfasste mit beiden Händen meine Pobacken und hob und senkte mich auf seinem steil aufgerichteten Schwanz, wobei seine Beine mich sanft schüttelten. Ich fühlte mich wie auf einer Art göttlichen Schaukel. Wir verschmolzen zu einem einzigen Wesen, waren wie zwei Teile ein und desselben Organismus. Nach einer Weile glitt Louis aus mir heraus und vergrub sein Gesicht zwischen meinen Oberschenkeln. Er kostete langsam und genussvoll von mir wie von einer saftigen Speise und knabberte und saugte mit präzisen, gekonnten Mundbewegungen. Mein Körper wurde von den flackernden Flammen erhellt und spiegelte sich in den großen Fenstern. Die Haare waren mir ins Gesicht gefallen und bedeckten es fast komplett, sein Kopf war zwischen meinen gespreizten Oberschenkeln vergraben. Ich betrachtete unser Spiegelbild eine Weile, streichelte dabei meine bebenden Brüste und sah fasziniert zu, wie sein Kopf zwischen meinen Beinen arbeitete und sein Mund die empfindlichste Stelle meines Körpers liebkoste. Seine Zunge schleckte mich ab, und er küsste mich so gierig und gut, dass ich zwischen seinen Lippen kam, wobei meine eigenen Lippen sich öffneten und einen tiefen verzückten Seufzer der Lust entweichen ließen.

Ich legte mich hin, meine Brüste gegen das weiche Fell gedrückt, und ließ ihn tief in mich eindringen, bis sein Saft sich mit meinen Säften vermischte und die Gerüche, die von unserer erhitzten Haut aufstiegen, zu einem einzigen Aroma verschmolzen.

Ineinander verschlungen, schliefen wir erschöpft vor dem Feuer ein. Es war fantastisch.

In dieser Nacht kam ich zu dem Schluss, dass Louis der ideale Mann war, um das Kind zu zeugen, das ich mir so sehnlich wünschte. Da war nur eine Wolke, die den Horizont ein wenig verdüsterte. Ich hatte mit einem ernsthaften Dilemma zu kämpfen: Sollte ich ihm meine Absichten offenbaren und dabei riskieren, dass er so schnell wie möglich auf Nimmerwiedersehen das Weite suchte? Oder sollte ich einfach gar nichts sagen, alles Weitere dem natürlichen Gang der Natur überlassen und die Entscheidung, wann ich es ihm erzählte, auf später vertagen, je nachdem wie unsere Beziehung sich entwickelte? Ich dachte einige Tage darüber nach und entschied mich schließlich für die zweite Option. Ich würde gar nichts sagen, es einfach genießen, mich von ihm nehmen zu lassen, und auf jegliche Vorsichtsmaßnahmen verzichten … man konnte schließlich nie wissen! Also berechnete ich wieder einmal den optimalen Termin, um mein Vorhaben zum Erfolg zu führen. Im folgenden Monat nahm ich ein paar Tage vor meinem Eisprung eine kurze Auszeit von meinem Liebhaber. Natürlich vermisste ich ihn, aber ich wollte unsere Begierde (und sein Sperma) durch die bewusste Enthaltsamkeit so stark wie möglich werden lassen. Ich hatte ihm ein heißes Wochenende versprochen und rief ihn am Freitagnachmittag an, um eine Verabredung zu treffen, hatte aber nur seinen Anrufbeantworter an der Strippe.

»Hallo, dies ist der Anschluss von Louis und Dan. Hinterlassen Sie eine Nachricht, dann rufen wir so schnell wie möglich zurück.«

»Hallo Louis, ich bin's, Caroline. Ich hoffe, du hast heute Abend noch nichts vor. Ich will dich unbedingt sehen, je früher, desto besser. Ich bin zu Hause und bleibe hier wie festgenagelt sitzen. Wenn ich mich bewege, dann höchstens, um mich auszuziehen … PIEP!«

Dan … Louis hatte seinen Bruder nur beiläufig erwähnt. Er teilte sich mit ihm seine Stadtwohnung, doch leibhaftig war mir Dan noch nie begegnet, wenn Louis und ich uns statt in den Laurentians in Louis' Wohnung in der City getroffen hatten. Langsam wurde ich ein bisschen neugierig auf ihn, dachte aber, dass ich ihn früher oder später schon kennen lernen würde.

Ich ließ mir ein Bad ein, legte mich zufrieden in die Wanne und ließ mich fast eine ganze Stunde einweichen. Anschließend rieb ich mich dick mit duftender Bodylotion ein und wählte mit Bedacht ein Seidennegligé und einen langen Morgenmantel aus. Die Zeit verging, und Louis hatte immer noch kein Lebenszeichen von sich gegeben. Aber das war schon in Ordnung! Nach der eindeutigen Botschaft, die ich ihm hinterlassen hatte, würde er nur anrufen, wenn es ihm unmöglich war zu kommen.

Ich nahm ein Buch zur Hand, das ich am Tag zuvor angefangen hatte. Etwa eine halbe Stunde später hörte ich jemanden an die Tür klopfen. Ich machte die Lampe aus, um die gewünschte kuschelige Atmosphäre zu erzeugen, und ging beschwingt zur Tür. Es war Louis, und er hielt einen wunder-

175

schönen Blumenstrauß in der Hand. Er nahm mich in die Arme und küsste mich leidenschaftlich. Geschmeichelt nahm ich zur Kenntnis, dass er sich offenbar so beeilt hatte, zu mir zu kommen, dass er sich nicht einmal rasiert hatte. Seine stoppelige Wange fühlte sich auf meiner Haut ein wenig rau an. Ich zog ihn in die Wohnung und fing, noch bevor er auch nur seinen Mantel ablegen konnte, an, mich vor seinen Augen auszuziehen.

»Werde ich demnächst immer so begrüßt, wenn ich bei dir vorbeikomme?«

»Wenn du willst …«

»Versprich es mir! Jedes Mal …«

»Ich verspreche es.«

Zufrieden mit meiner Verheißung riss er sich die Sachen vom Leib, zog mich zum Sofa, legte mich hin und vergrub seinen Mund zwischen meinen nackten Oberschenkeln. Er leckte mich, bis meine Säfte in Strömen flossen, und ich drängte ihn, mich schnell und heftig zu nehmen. Ich keuchte vor Erregung, doch ich wollte meinen Orgasmus hinauszögern, bis ich ihn in mir spürte. Er musste so tief in mich eindringen, wie nur irgend möglich, und mit aller Kraft kommen. Unbedingt …

Schließlich erhörte er mich, packte mich grob, drehte mich um, drang tief in mich ein und vögelte mich mit beinahe brutalen Stößen. Ich spürte, dass er fast so weit war und mich jeden Moment mit seinem heißen Samen füllen würde. Ich versuchte, mich seinem Rhythmus und seinem Erregungszustand anzupassen. Und dann, als er kurz davor war, in mir zu explodieren, klingelte das Telefon. Ich wollte ihm sagen, dass ich nicht drangehen würde, doch es war schon zu spät. Aufgeschreckt von dem schrillen Gebimmel zur Unzeit, zog er seinen Schwanz kurz raus und ergoss sich genau in diesem Moment mit einem kräftigen Schwall auf meinen Hintern und meinen unteren Rücken. Ich musste mich schwer zusammen-reißen, damit er mir meine Enttäuschung nicht anmerkte. Natürlich war ich nicht enttäuscht von seiner Darbietung, im Gegenteil! Aber es war einer meiner wenigen »potenziell fruchtbaren« Tage, und er hatte etliche Milliliter seines kost-baren Safts auf meinem Hintern vergeudet, anstatt ihn in mich zu spritzen, wo er so dringend gebraucht wurde. Zu scha-de aber auch. Also musste ich es später noch einmal versu-chen.

Zu allem Übel musste Louis an diesem Abend auch noch nach Hause, weil er einen dringenden Anruf aus dem Ausland erwartete. Ich sah niedergeschlagen zu, wie er sich anzog, um zu gehen, und bat ihn, am nächsten Tag wiederzukommen, wobei ich versprach, ihm den gleichen Empfang zu bereiten. Ich verabschiedete ihn voller Bedauern und beruhigte mich mit dem Gedanken, dass ich am nächsten Tag meinen Willen kriegen würde … und nicht nur einmal.

* * *

Am nächsten Tag war ich gereizt und nervös. Ich merkte, dass mir meine Unehrlichkeit gegenüber Louis doch zu schaffen machte, aber ich wollte es auf keinen Fall riskieren, die Chan-cen auf eine Erfüllung meines heimlichen Traums mutwillig aufs Spiel zu setzen. Es war, als hätte ich eine Eingebung, dass es beim nächsten Mal klappen würde und dieser Monat der entscheidende war, in dem das lang ersehnte Ereignis endlich eintreten würde. Ich würde hinterher sehen, wie er reagierte, und falls erforderlich, war ich auch bereit, die Verantwortung für mein Tun allein zu tragen.

Die Minuten verstrichen, und der Nachmittag schien gar nicht enden zu wollen. Würde er an diesem Abend wieder-kommen? Er durfte nicht wegbleiben, und diesmal musste er unbedingt in mir kommen! Um ihn wissen zu lassen, wie dringend ich ihn sehen wollte, und um auf Nummer sicher zu gehen, dass er auch wirklich kam, rief ich ihn am späten Nachmittag an. Doch es meldete sich wieder nur sein Anrufbeantworter, was mich noch mehr verstimmte. Ich erstarrte, hatte keine Ahnung, was für eine Nachricht ich hinterlassen sollte … und legte schließlich auf. Die Nachricht durfte nicht zu intim sein, schließlich war es möglich, dass sein Bruder den Anrufbeantworter vor ihm abhörte. Aber sie musste ihm zugleich unmissverständlich klarmachen, wie sehr ich ihn begehrte. Zu dumm aber auch für den Bruder. Sollte er doch denken, was er wollte! Ich wählte erneut, wartete geduldig, bis die Ansage zu Ende war, und kam direkt zur Sache.

»Hallo, Louis … Ich vermisse dich! Ich will dich heute Abend unbedingt sehen. Du kannst dir gar nicht vorstellen, wie sehr ich mich nach dir verzehre! Ich erwarte dich an der Tür, wie ich es versprochen habe, so, wie du es gerne magst. Lass mich nicht so lange warten … PIEP!«

Wenn er das hört, dachte ich, kann er ja wohl nicht anders, als sich sofort auf den Weg zu machen.

Er kam schneller als erwartet. Ich hatte kaum Zeit, nach der Arbeit kurz unter die Dusche zu springen und mich umzuziehen, als es schon ungeduldig an der Tür klopfte. Ich stürmte hin und machte auf, bereit, mir sofort die Sachen vom Leib zu reißen, wenn er in der Wohnung war. Er sah so gut aus! Seine haselnussbraunen Augen, die noch intensiver funkelten als sonst, sahen durch mein Negligé hindurch und taxierten mich voller Übermut und Begierde von oben bis unten. Er zog mich förmlich mit den Augen aus, und mein Atem beschleunigte sich. Ja, angesichts dieses abschätzenden Blicks, der zugleich unverschämt und schmeichelhaft war, verschlug es mir geradezu den Atem. Ich konnte keine Sekunde länger warten und zog ihn an mich. Sein betörendes Rasierwasser ließ mich kurz zurückweichen. Jetzt war es an mir, jegliche Zurückhaltung aufzugeben; ich ließ die Träger meines knappen Negligés von meinen Schultern gleiten. Louis hob mich ein wenig grob vom Boden auf, trug mich durchs Zimmer und ließ mich aufs Sofa plumpsen. Dann riss er sich hektisch sein Jackett, sein Hemd und seine Hose vom Leib und beugte sich über mich.

»Ich hatte gar nicht zu hoffen gewagt, dass du so schnell herkommst ...«

»Als ich deine Nachricht gehört habe, konnte mich nichts mehr zurückhalten. Allerdings kann ich nicht lange bleiben ... du bist mir hoffentlich nicht böse, wenn ich gleich wieder wegmuss?«

»Nicht wenn du mir gibst, worauf ich warte, seitdem du gestern gegangen bist ....«

Um mir zu zeigen, dass er mich verstanden hatte, kniete er sich zwischen meine Beine und küsste meine vor Erregung bereits triefenden Schamlippen. Dann machte er mit der Hand weiter und liebkoste heftig, beinahe ein bisschen roh meine empfindlichste Stelle – doch was für eine süße Qual! Als Nächstes spreizte er die geschwollenen Lippen meiner hungrigen Möse, führte einen Finger in die Tiefen meiner samtigen Höhle, zog ihn wieder raus und wiederholte das Ganze mit einem anderen Finger. Er ging jetzt mit noch mehr Nachdruck zur Sache. Zusätzlich zu dem rein- und rausgleitenden Finger verstärkte er meine Erregung, indem er genau an der richtigen Stelle etwas Druck ausübte. Ich drohte jeden Moment zu kommen. Auf einen solchen Gipfel der Lust hatte er mich bisher noch nie getrieben! Mit seinen kräftigen Händen hob er meine Hüften ein wenig an und drang in mich ein. Er fühlte sich riesig an, stieß in die Tiefen meines Körpers vor und massierte meine im Rhythmus zu meinem Herzschlag pulsierende Möse gleichzeitig weiter mit seinem kreisenden Finger. Ich war gerade soweit, ungestüm und heftig zu kommen, als er mich hochzog und mir bedeutete, mich aufs Sofa zu knien und mich mit den Ellbogen auf der Rückenlehne abzustützen. Dann zog er mich an den Hüften zu sich heran, sodass ich ihm meinen gespreizten Hintern präsentierte. Er streichelte mich weiter, fuhr mit der Hand über meine bebenden Schamlippen, ließ sie dazwischen gleiten, zog sie auseinander, drang erneut in mich ein und versenkte sein Schwert so tief wie nur irgend möglich. Ich schrie vor Wonne auf und konnte mich keine Sekunde länger zurückhalten. Ich kam so heftig und gewaltig, dass ich beinahe nicht mehr bei Sinnen war.

Meine Kapitulation beflügelte Louis nur noch mehr. Er umklammerte mein Becken mit beiden Händen und stieß hart und erbarmungslos immer wieder zu, bis ich glaubte, jeden Moment zu explodieren. Ich begrüßte seine Attacke mit gieriger Lust, und mein Körper drohte bereits, sich erneut geschlagen zu geben. Ich kam noch einmal, nur wenige Sekunden bevor Louis mit einem letzten wilden Stoß ebenfalls explodierte und mich bis an den Rand mit seinem heißen Saft füllte – genau so, wie ich es mir als krönenden Abschluss erhofft hatte. Mir war sehr wohl bewusst, wie wichtig dieses kleine Detail für mich war. Ich spürte das Gewicht seines Körpers sanft auf mich sinken, zog ihn an mich heran, drängte mich gegen seinen warmen Bauch und zerging in einem unglaublichen Glücks- und Wohlgefühl. Mein Körper zuckte immer noch vor Lust und Erregung, doch in meinem Kopf machte sich eine angenehme Schwere und Erschöpfung breit. Ich unternahm nicht den geringsten Versuch, ihn zurückzuhalten, als er sich schließlich aufrichtete, mein Haar küsste und mir sagte, dass er nun aber wirklich gehen müsse. Er zog sich schnell an, küsste mich noch einmal und verschwand.

Eine Weile verharrte ich in meiner Position, um die süße Trägheit, die meinen Körper erfüllte, noch ein wenig auszukosten. Schließlich stand ich mit zitternden Beinen auf, such-te meine Kleidung zusammen und schauderte wohlig bei dem Gedanken an ein heißes Bad. In diesem Moment sah ich et-was auf dem Boden liegen, fast versteckt unter dem Sofa. Ich bückte mich, hob es auf und sah, dass es eine Brieftasche war – Louis' Brieftasche, wie ich vermutete. Gerade als ich sie auf den kleinen Tisch neben der Tür legen wollte, bemerkte ich, dass einige Plastikkarten und Papiere herausgefallen waren. Ich beugte mich hinab, um sie mir anzusehen, und eine der Karten erweckte meine Aufmerksamkeit: Es war eine Kran-kenversicherungskarte. Das Foto darauf war nicht besonders vorteilhaft, aber das sind die Fotos auf solchen Karten ja nie. Doch es war nicht das Foto, das mich zusammenzucken ließ ... Unter dem Foto stand nicht wie erwartet LOUIS BEN-SON sondern DAN BENSON. Sein Bruder? Sein Zwillingsbru-der? Wie betäubt ließ ich mich aufs Sofa plumpsen. Louis hat-te nie erwähnt, dass es sich bei seinem Bruder um einen Zwilling handelte! Ein Bruder, ja ... Ich dachte an die Ansa-ge auf dem Anrufbeantworter: »Hallo, dies ist der Anschluss von Louis und Dan ...«

»Nein!«, sagte ich mir. »Der Mann, der eben gegangen ist, war auf jeden Fall Louis. Ich hätte doch gemerkt, wenn es ein anderer gewesen wäre!«

Aber hätte ich das wirklich?

Das klingelnde Telefon riss mich aus meinen Gedanken. Ich meldete mich fast im Flüsterton, damit man mir nicht an-merkte, wie durcheinander ich war. Es war Louis. Er sei in der Innenstadt aufgehalten worden und habe den Anrufbeant-worter gerade erst abgehört ... Ob er später noch vorbeikom-men solle? Ich sagte ihm, dass ich ihn erwarte, schluckte den dicken Kloß herunter, der mir in der Kehle saß, und dachte über die ungeheuerliche Situation nach. Stärker durcheinan-der denn je, ließ ich mir ein Bad ein, das mir sicher außerordentlich gut tun würde, und weigerte mich hartnäckig, die Sache an mich heranzulassen, solange ich nicht in das heiße Wasser und den wohl duftenden Schaum eingetaucht war.

Erst in der Wanne erlaubte ich mir, über das Geschehene nachzudenken. Seltsamerweise war mir das, was passiert war, weder peinlich noch schämte ich mich oder fühlte mich gar verraten. Wenn Dan wirklich Louis' Zwillingsbruder war und wenn es tatsächlich Dan gewesen war, der es mir an diesem Nachmittag so fantastisch besorgt hatte, wo war dann das Problem? Natürlich durfte Louis es unter keinen Umständen herausfinden! Die einzige Schwierigkeit bestand in der Tatsache, dass ich die beiden offenbar nicht auseinander halten konnte. Je länger ich darüber nachdachte, desto überzeugter redete ich mir ein, wie glücklich ich mich schätzen konnte. Zwei Prachtexemplare zum Preis von einem! Welcher Frau würde es auch nur im Traum einfallen, sich über ein derartiges Glück zu beklagen? Und falls Louis doch herausfand, was passiert war, wie würde er reagieren? War das vor mir auch schon anderen Frauen passiert? Oder war es gar eine Art Spiel, das die Brüder besonders aufregend fanden? Wenn das der Fall war, wäre die ganze Situation noch vertrackter. Allerdings sagte mir mein Instinkt, dass Louis nichts von der Sache wusste – und ich hatte bestimmt nicht vor, die Katze aus dem Sack zu lassen! Ich musste nur irgendeinen Weg finden, sie auseinander zu halten. Louis war mein Favorit, aber wenn ich zuerst Dan kennen gelernt hätte, hätte er es mir vielleicht genauso angetan! Am wichtigsten war mir, Louis auf keinen Fall zu verletzen. Wenn ich geschickt vorging, müsste alles problemlos funktionieren. Jedenfalls würde ich Louis, wenn er später vorbeikam, nichts von dem Überraschungsbesuch seines Bruders erzählen. Kein Sterbenswörtchen! Doch wie konnte ich sicher sein, dass er es überhaupt war? Am besten fragte ich ihn gezielt nach Dingen, die wir gemeinsam gemacht hatten. Aber was war, wenn es auch vorher schon den ein oder anderen Rollentausch gegeben hatte? Ach, es war aber auch zu verzwickt! Aber egal, ob Louis oder Dan – Hauptsache, ich erreichte mein Ziel ... und an diesem Abend sollte ich eine weitere hervorragende Gelegenheit haben, diesem Ziel näher zu kommen.

Vor meinem inneren Auge erschien erneut das Bild der beiden Brüder und beflügelte auf angenehme Weise meine Fantasie. Ich glitt noch tiefer in die Wanne und ließ meiner Vision freien Lauf. Ich lag auf meinem Bett und sehnte mich nach Louis. Der Tagtraum zog mich immer stärker in seinen Bann. Louis kam, zog sich langsam aus und küsste mich. Ich spürte seinen nackten Körper auf mir und erbebte. Ich selber war fast völlig passiv und genoss seine kitzelnden Lippen, die zärtlich meinen Hals, meine Brüste, meinen Bauch und meine Beine hinabwanderten. Mit seiner Zunge verwöhnte er die Öffnung meiner hungrigen Möse, und in diesem Moment erschien Dan. Er zog sich ebenfalls aus und küsste mich auf den Mund, während Louis seine Liebkosungen weiter unten intensivierte. Geübte Hände – keine Ahnung, wessen Hände es waren – kneteten meine Brüste, und gierige Lippen saugten inbrünstig an ihnen, während ein anderes Paar Hände und Lippen sich gekonnt zwischen meinen gespreizten Schenkeln zu schaffen machte. Ein Schwanz zwängte sich in meinen Mund und stieß vor bis zu meiner Kehle, während ein zweiter grob in mich eindrang und meine bereits weit geöffneten Schenkel noch weiter spreizte. Die beiden Schwänze stießen im gleichen Rhythmus zu, doch mal gab der eine das Tempo vor, mal der andere. Dann rollte sich einer der Männer auf den Rücken – keine Ahnung, welcher von beiden –, und ich beugte mich über seinen steifen Schwanz und nahm ihn gierig in den Mund, während der andere von hinten in mich eindrang. Wer war es – Louis oder Dan? Hatten sie die Plätze gewechselt, oder war es der Gleiche, den ich schon zuvor so hungrig in mich aufgenommen hatte? Es war mir völlig egal. Die Körper der Männer setzten sich erneut in Bewegung. Ich kniete inzwischen auf dem Fußboden und hatte einen steifen Schwanz vor dem Gesicht, während der andere mich von hinten kraftvoll stieß. Ein Paar Hände knetete meine Brüste, das andere kraulte mein Haar, massierte meinen Hintern ... so viele Hände! Wie viele mochten es sein? Und wie viele majestätische, harte Schwänze erwiesen mir die Ehre? Schließlich explodierte der Mann, der mich von hinten nahm, in mir, und nur Sekunden später kam auch sein Bruder, dessen Schwanz zwischen meinen Lippen gefangen war. Der heiße Schwall rann mir über den Mund und den Hals, über meine Möse und meine Schenkel ... Und in diesem Moment kam auch ich, in meinem lauwarmen Badewasser schwebend und die Hände zwischen meinen Beinen vergraben.

* * *

Als Louis später an diesem Abend bei mir vorbeikam, wartete ich erst einmal mit den Fragen, die mir so unter den Nägeln brannten. Ich freute mich, noch einmal auf die gleiche Weise verwöhnt zu werden wie einige Stunden zuvor, ließ mein knappes Negligé zu Boden fallen und wartete darauf, dass er mich zum Sofa zog. Doch diesmal entschied er sich für das Schlafzimmer, was es mir verdammt schwer machte, mich zu konzentrieren, da mich umgehend meine jüngste Fantasie wieder einholte. Ob ich wohl eines Tages tatsächlich einmal erleben würde, was mich schon beim bloßen Gedanken auf der Stelle feucht werden ließ? Wer weiß, wenn ich es richtig anstellte ... Meine Leidenschaft entbrannte erneut unter Louis' Liebkosungen (war er es diesmal wirklich?), und ich kam ein weiteres Mal. Er nahm mich von vorne, von hinten, kniend, im Stehen und zögerte seinen eigenen Orgasmus heraus, um mich so lange wie möglich auf meine Kosten kommen zu lassen. Doch nach diesem Tag war ich ziemlich erschöpft ... Natürlich genoss ich die herrliche Leidenschaft, mit der er mich verwöhnte, in tiefen Zügen, doch ich drängte ihn zur Eile, und schließlich kam er in mir, und ich sank glückselig in seine Arme.

Eigentlich wollte ich noch eine Weile mit meinen Fragen warten, doch da er zusehends langsamer und in tiefen Zügen atmete, befürchtete ich, dass er jeden Moment einschlief, und schoss los.

»Willst du mich nicht mal irgendwann deinem Bruder vorstellen?«

»Meinem Bruder? Warum?«

»Immerhin habe ich schon zweimal ziemlich anzügliche Nachrichten auf eurem Anrufbeantworter hinterlassen. Deshalb würde ich ihn lieber bald kennen lernen, sonst bekommt er noch eine völlig falsche Vorstellung von mir ...«

»Okay, irgendwann demnächst ...«

»Wie alt ist er eigentlich?«

»Ein paar Minuten älter als ich. Wir sind Zwillinge.«

»Tatsächlich? Und? Seht ihr gleich aus?«

»Ja, wir sind eineiige Zwillinge. Bis auf ein paar winzige Unterschiede sehen wir völlig gleich aus.«

»Dann will ich ihn erst recht kennen lernen!«

Für den Fall, dass es ein heikles Thema war, schlug ich einen neckischen Ton an, doch er lachte nur und entgegnete:

»Warum? Reiche ich dir etwa nicht?«

»Doch, natürlich! Was sind das denn für ›winzige Unterschiede‹? Die Frisur? Oder hat er einen Schnurrbart – etwas in dieser Richtung?«

»Nein ... Wir haben uns die Haare immer gleich schneiden lassen und überhaupt großen Wert darauf gelegt, möglichst gleich auszusehen. Aber seine Augen sind ein kleines bisschen heller als meine, außerdem hat er eine Narbe auf der Stirn, direkt am Haaransatz. Er hat sie sich vor ein paar Jahren zugezogen.«

»Du willst mich auf den Arm nehmen … Das sind wirklich die einzigen Unterschiede?«

»Einige Leute, die uns gut kennen, behaupten, dass man uns sehr wohl auseinander halten könne. Sie sagen, Dan wirke ein bisschen robuster als ich. Keine Ahnung, ob das stimmt. Wenn du ihn irgendwann kennen lernst, kannst du es ja selber beurteilen. Meine bisherigen Freundinnen fanden es allerdings ein bisschen beunruhigend, wie ähnlich wir uns sehen … Zum Glück habe ich dich vor ihm entdeckt!«

Ich wechselte schnell das Thema und war sicher, dass er nicht wusste, dass ich seinen Bruder bereits kennen gelernt hatte. Von nun an musste ich also nur noch einen Blick auf ihre jeweilige Stirn werfen!

* * *

In der folgenden Woche traf ich mich ein paar Mal mit Louis, wobei ich mich bei seiner Ankunft jedes Mal vergewisserte, dass er es auch wirklich war. Er machte sich einen Spaß daraus, sich immer, bevor er meine Wohnung betrat, das Haar nach hinten zu kämmen, damit ich sehen konnte, dass er keine Narbe hatte. Dan sah ich nicht wieder und sandte ihm seine Brieftasche anonym mit der Post zu. Da Louis geschäftlich außerhalb der Stadt etwas zu erledigen hatte, verbrachten wir vorher noch ein paar wundervolle Tage in seinem Haus in den Laurentians. Wir machten es uns vor dem knisternden Kaminfeuer gemütlich, genossen den Duft der brennenden Holzscheite und beobachteten die vor dem Fenster herabrieselnden Schneeflocken. Ich sprach ihn nicht noch einmal auf seinen Bruder an und wartete, ob er die Rede von selber auf ihn brachte.

Doch die Vorstellung, gleichzeitig von zwei gleich aussehenden Männern geliebt zu werden, ließ mich nicht mehr los. In meiner Fantasie setzte sich das Bild immer stärker in meinem Kopf fest, und schließlich konnte ich kaum noch einen Abend mit Louis verbringen, ohne darauf zu warten, dass jeden Moment sein Zwillingsbruder zur Tür hereintrat. Ich war so besessen von dieser Vorstellung, dass ich erst nach drei Tagen merkte, dass meine Periode überfällig war. War es denn möglich, dass es zu guter Letzt tatsächlich geklappt hatte? Ich war überglücklich, mir endlich das Geschenk gemacht zu haben, von dem ich so lange geträumt hatte. Allerdings wollte ich lieber noch ein paar Tage warten, bevor ich mir die endgültige Bestätigung holte.

Als ich fast zehn Tage überfällig war, ging ich in die Apotheke und kaufte einen Schwangerschaftstest. Aufgeregt las ich die Gebrauchsanleitung und ging ans Werk. Zwei Minuten später hatte ich das eindeutige und keinen Zweifel lassende Ergebnis: Ich war schwanger! Ich stürzte zum Telefon und ließ mir den frühestmöglichen Termin bei meinem Frauenarzt geben. Er bestätigte die Neuigkeit ein paar Tage später. Wie großartig! Sicher, hin und wieder würde mir vielleicht ein bisschen übel sein, aber was war das schon im Vergleich zu meiner Freude? Louis würde in ein paar Tagen von seiner Geschäftsreise zurückkommen, und ich hatte noch keine Ahnung, wie ich es ihm erzählen sollte. Schließlich konnte ich es nicht ewig vor ihm verbergen … Ich beschloss, ihm freizustellen, ob er das Kind annehmen wollte oder nicht. Es war seine freie Entscheidung. Wenn er Vater spielen wollte, umso besser, aber ich würde ihn auf keinen Fall dazu drängen.

Das Einzige, was mich umtrieb, war die Frage, wer eigentlich der Vater des Kindes war. Immerhin kam auch Dan in

Frage, doch das konnte ich Louis auf keinen Fall erzählen. Nein, das kam nicht in Frage. Trotzdem starb ich vor Neugier. War das Kind von Louis oder von Dan? Ich würde es wohl nie erfahren.

Ich holte Louis am Flughafen ab. Als er mich sah, wusste er sofort, dass irgendetwas im Busche war, weshalb meine Absicht, noch ein bisschen mit der guten Nachricht zu warten, sich schlagartig in Luft auflöste. Also erzählte ich ihm, dass er in einigen Monaten Vater würde. Noch bevor er auf die Neuigkeit reagieren konnte, stellte ich klar, dass ich keinerlei Erwartungen an ihn hegte und er frei sei zu tun und lassen, was er wolle. Er strahlte über das ganze Gesicht und versicherte mir, so oft ich wünschte, bei mir zu sein, und so viel Zeit mit dem Kind zu verbringen wie nur irgend möglich. Alles schien sich zum Besten zu wenden!

Doch leider hatte es damit nicht sein Bewenden. Mein Fehltritt mit seinem Bruder, auch wenn er ohne jeden Vorsatz und völlig unbeabsichtigt passiert war, wühlte mich auf. Ich hatte das Gefühl, einen unverzeihlichen Fehler begangen zu haben, und wusste doch gleichzeitig, dass ich mein Glück womöglich genau diesem »Fehler« zu verdanken hatte. Was war, wenn Louis mich eines Tages mit seinem Bruder bekannt machte und er von der Neuigkeit erfuhr? Könnte er nicht auf die Idee kommen, an meiner Schwangerschaft möglicherweise nicht ganz unbeteiligt gewesen zu sein? Wahrscheinlich nicht, beruhigte ich mich, doch ich konnte nicht umhin, mich immer wieder zu fragen, welche Folgen sein Überraschungsbesuch wohl gehabt hatte …

In den folgenden Wochen war ich in ständiger Sorge. Louis schob meine Nervosität auf die Schwangerschaft, doch ich unterließ es wohlweislich, ihm zu verraten, was der wirkliche Grund für meine innere Anspannung war. Irgendwie war ich überzeugt, bei meiner ersten Ultraschalluntersuchung ein Zeichen zu bekommen, wer der wahre Vater war. Doch was für ein Zeichen konnte das sein? Ich hatte keine Ahnung und wusste natürlich, dass es im Grunde eine völlig irrationale Spinnerei war, aber ich war trotzdem felsenfest davon überzeugt. Vielleicht würde ich während der Untersuchung irgendetwas sehen, was das Geheimnis lüftete. Oder ich hätte in einem Moment, in dem ich es am wenigsten erwartete, eine plötzliche Eingebung, wer der Vater war.

Das Wartezimmer war gerammelt voll. Ich rang vor Nervosität die Hände und ließ mir alle möglichen Namen durch den Kopf gehen, die mir gefielen, Jungennamen, Mädchennamen und alle durcheinander. Als ich endlich an die Reihe kam, war ich ein einziges Nervenbündel und kaum imstande, allein in den Raum zu gehen, der mir zugewiesen wurde. Ich legte mich auf die Liege, und wartete darauf, dass die Assistentin mir den Bauch mit Gel einrieb und mir das Instrument auflegte, mit dessen Hilfe ich gleich mein Baby würde sehen können. Aufgeregt betrachtete ich das Gerät. Bevor sie begann, fragte die Assistentin mich, ob ich das Geschlecht meines Kindes wissen wolle. Ich nickte mit Nachdruck, und sie ging ans Werk. Kurz darauf lächelte sie über das ganze Gesicht.

»Ms. Lainey«, sagte sie. »Sie bekommen Zwillinge. Einen kleinen Jungen … und ein kleines Mädchen. Herzlichen Glückwunsch!«

CHARLOTTE LINK

Westhill House, ein einsames Farmhaus im Hochmoor
Yorkshires. Ehemals Schauplatz einer wechselvollen
Familiengeschichte – und jahrzehntelang Hüter eines
bedrohlichen Geheimnisses. Bis eine Fremde
kommt und wie zufällig die Mauern des Schweigens zum
Einsturz bringt ...
Raffiniert, suggestiv und dramatisch bis zur letzten Seite!

44436

GOLDMANN

DIANA GABALDON

Eine geheimnisvolle Reise ins schottische Hochland
des 18. Jahrhunderts. Und eine Liebe, wildromantisch
und stärker als Zeit und Raum ...
»Ein opulenter historischer Roman wie ein
kunstvolles Mosaik. Und eine ungewöhnliche und
packende Liebesgeschichte.«
Library Journal

43772

GOLDMANN